D0901720

Vi

Du même auteur,
chez le même éditeur

Ru, 2010
(et « Piccolo » n° 83)

À Toi (avec Pascal Janovjak), 2011

Mãn, 2013
(et « Piccolo » n° 113)

Kim Thúy

Vi

Liana Levi

ISBN : 978-2-86746-831-5
www.lianalevi.fr

Mékong • Cửu Long • Neuf dragons

J'avais huit ans quand la maison a été plongée dans le silence.

Sous le ventilateur d'appoint apposé au mur blanc ivoire de la salle à manger, un grand carton rigide rouge vif portait un bloc de trois cent soixante-cinq feuilles. Chaque feuille indiquait l'année, le mois, le jour de la semaine et deux dates: une selon le calendrier solaire et une autre selon le calendrier lunaire. Dès que j'ai été capable de grimper sur une chaise, on m'a réservé le plaisir d'enlever une page à mon réveil. J'étais la gardienne du temps. Ce privilège m'a été retiré quand mes frères aînés Long et Lộc ont eu dix-sept ans. À partir de ce jour d'anniversaire, que nous n'avons pas célébré, ma mère pleurait chaque matin devant ce calendrier. J'avais l'impression qu'elle se déchirait en même temps qu'elle arrachait la feuille du jour. Le tic-tac de l'horloge qui d'habitude nous endormait au moment de la sieste de l'après-midi sonnait soudainement comme celui d'une bombe à retardement.

J'étais la petite dernière, la seule sœur de mes trois grands frères, celle que tout le monde protégeait comme les précieuses bouteilles de parfum derrière des portes vitrées. Même si j'étais tenue à l'écart des préoccupations de la famille en raison de mon âge, je savais que les deux plus vieux devraient partir sur un champ de bataille le jour de leurs dix-huit ans. Qu'ils soient envoyés au Cambodge à combattre Pol Pot ou à la frontière avec la Chine, les deux destinations leur réservaient le même sort, la même mort.

Hanoi • Hànội • Fleuve intérieur

Mon grand-père paternel était diplômé de la faculté de droit de l'Université de Hanoi à titre d'« indigène ». La France s'occupait de l'instruction de ses sujets, mais n'attribuait pas la même valeur aux diplômes décernés dans ses colonies. Elle avait peut-être raison puisque les réalités de la vie en Indochine n'avaient rien en commun avec celles de la France. En revanche, les exigences scolaires et les questions aux examens étaient les mêmes. Mon grand-père nous répétait souvent qu'après l'étape des examens écrits il y avait une série d'oraux pour obtenir le baccalauréat. Pour le cours de français, il devait traduire devant ses professeurs un poème vietnamien en français, et un autre dans le sens inverse. Les problèmes de mathématiques devaient également être résolus oralement. Le test ultime était de faire face à l'hostilité de ceux qui décideraient de son avenir sans perdre ses moyens.

L'intransigeance des professeurs n'étonnait pas les étudiants puisque la hiérarchie sociale plaçait les intellectuels au sommet de la pyramide. Ils y siégeaient en sages et portaient le titre de « professeur » toute leur vie auprès de leurs élèves. Il était impensable de remettre en question leurs paroles puisqu'ils détenaient la vérité universelle. C'est pourquoi mon grand-père n'avait jamais protesté lorsque ses enseignants lui donnaient un nom français. Par manque de connaissances, ou par acte de résistance, ses parents ne lui en avaient pas donné. Alors, dans les classes, d'une année à l'autre, d'un professeur à l'autre, il portait un nom nouveau. Henri Lê Văn An, Philippe Lê Văn An, Pascal Lê Văn An… De tous ces noms, il avait conservé Antoine et transformé « Lê Văn An » en nom de famille.

Saigon • Sài Gòn • Ville de la forêt, arbre de coton

De retour à Saigon, son diplôme en main, mon grand-père paternel est devenu un juge respecté et un richissime propriétaire foncier. Il exprimait sa fierté d'avoir créé à la fois un empire et une réputation enviables en répétant son nom pour chacun de ses enfants : Thérèse Lê Văn An, Jeanne Lê Văn An, Marie Lê Văn An… et mon père, Jean Lê Văn An. À l'inverse de moi, mon père était le seul garçon dans une famille qui comptait six filles. Comme moi, mon père est arrivé le dernier, au moment où plus personne n'osait espérer un porte-étendard. Sa naissance a transformé la vie de ma grand-mère, qui, jusqu'alors, avait subi quotidiennement les commentaires des mauvaises langues sur son incapacité à engendrer un héritier. Elle avait été déchirée entre le désir d'être l'unique femme de son mari et le devoir de choisir une seconde épouse. Heureusement pour elle, son mari était de ceux qui avaient adopté le modèle monogame français. Ou peut-être était-il tout simplement amoureux de ma grand-mère, une femme connue dans toute la Cochinchine pour sa beauté gracieuse et sa volupté.

Cái Bè • Faisceau, bouquet de tiges

Ma grand-mère paternelle a croisé mon grand-père un matin très tôt au marché flottant de Cái Bè, un district moitié terre, moitié eau sur un des bras du Mékong. Chaque jour depuis 1732, les marchands transportent leurs récoltes de fruits et de légumes jusqu'à cette partie du delta pour les vendre aux grossistes. De loin, la couleur du bois se mêlant au brun de l'eau argileuse donne l'impression que les melons, les ananas, les pomélos, les choux, les courges flottent par eux-mêmes jusqu'aux hommes qui les attendent dès l'aube sur le quai pour les attraper au vol. Encore aujourd'hui, ils transfèrent les fruits et légumes manuellement comme si ces récoltes leur étaient confiées et non vendues. Ma grand-mère, debout sur le quai du traversier, était hypnotisée par ces gestes répétitifs et synchronisés quand mon grand-père l'a aperçue. Il a d'abord été ébloui par le soleil avant d'être étourdi par cette jeune fille aux courbes particulièrement prononcées, accentuées par les plis de la robe vietnamienne qui ne tolère aucun excès dans les gestes et, surtout, aucune indélicatesse dans les intentions. Les boutons-pressions longeant le flanc droit gardent la robe fermée sans jamais vraiment l'attacher. Ainsi, un seul mouvement ample ou brusque entraîne l'ouverture complète de la tunique. Pour cette raison, les écolières devaient porter un caraco en dessous pour éviter les indécences accidentelles. Par contre, rien ne peut empêcher les deux longs pans de la robe de répondre au souffle du vent et d'attraper les cœurs qui résistent mal au pouvoir de la beauté.

Mon grand-père est tombé dans ce piège. Aveuglé par le mouvement doux et erratique des ailes de la robe, il a déclaré à son collègue qu'il ne repartirait pas de Cái Bè sans cette femme. Il lui a fallu humilier une autre jeune fille qui lui avait été promise et s'aliéner les aînés de sa famille avant de pouvoir toucher les mains de ma grand-mère. Certains croyaient qu'il était amoureux de ses yeux en amande aux longs cils, d'autres, de ses lèvres pulpeuses, et plusieurs étaient convaincus qu'il avait été séduit par ses hanches pleines. Personne n'avait remarqué les doigts effilés serrant un cahier de notes contre sa poitrine, sauf mon grand-père, qui les a décrits pendant des décennies. Il a continué à les évoquer longtemps après que le vieillissement de la peau eut transformé ces doigts fuselés et lisses en un mythe fabuleux ou, tout au plus, un conte d'amoureux.

Biên Hòa

L'École d'art indigène de Biên Hòa était au sommet de sa renommée quand mes grands-parents l'ont visitée pour acheter la septième pièce de céramique destinée à leur septième enfant. Ils hésitaient entre le cuivre de bleu moucheté et la glaçure céladon lorsque ma grand-mère a perdu les eaux. Après quelques poussées, elle a donné naissance à mon père. Comme un miracle, mon grand-père a accueilli quinze jours plus tôt que prévu un garçon. Son unique garçon.

Mon père a été porté par les mains aux doigts de fée de ma grand-mère. Et aussi par celles de ses six sœurs aînées. Et celles des vingt-six nourrices, cuisinières, bonnes. Sans compter celles des six cents femmes qui ont reçu à bras ouverts et avec adoration son visage bien dessiné, ses épaules larges, ses jambes d'athlète et son sourire séducteur.

Il aurait pu étudier les sciences ou le droit comme ses sœurs. Mais l'affection des unes et l'amour des autres le détournaient de ses livres et amputaient ainsi son organe du désir. Comment désirer quand tout est comblé d'avance ? Il n'avait pas encore ouvert les yeux que déjà la tétine d'une bouteille de lait tiède effleurait ses lèvres jusqu'à l'âge de cinq ou six ans. Personne n'osait le réveiller pour l'école puisque sa mère interdisait à quiconque d'interrompre ses rêves. Sa nourrice l'accompagnait sur les bancs de sa classe, où elle apprit à lire en même temps que lui. Durant ses cours de piano, les bonnes se disputaient pour pouvoir éventer sa nuque et rafraîchir l'air ambiant avec le bois de santal de l'éventail. Il amadouait son professeur juste en accompagnant de sa voix les notes de l'échauffement. Plus les années passaient, plus l'attroupement devant la maison grandissait pour écouter les mélodies qu'il créait sur le moment, sans la moindre ambition d'immortaliser quoi que ce soit. L'effort l'ennuyait, de même que les mains qui épongeaient sans cesse les gouttes de sueur sur son nez. Toutefois, il n'osait refuser aucune de ces attentions parce que, dans son cas, recevoir signifiait donner.

Mon père a ainsi grandi dans l'allégresse, et aussi dans le vide de l'apesanteur. Son temps ne se comptait pas en heures, mais plutôt au nombre de déplacements des pions sur le jeu d'échecs chinois, ou au nombre de punitions que sa mère infligeait aux bonnes qui laissaient échapper un bol ou un balai pendant ses siestes, ou au nombre de lettres d'amour glissées anonymement dans la boîte aux lettres.

Les fruits de l'empire Lê Văn An lui auraient facilement permis de vivre en marge de la société. Heureusement, la vie aime surprendre et changer constamment l'ordre des choses afin de donner à tous une occasion de suivre ses mouvements, d'être à l'intérieur d'elle. Mon père avait à peine vingt ans quand la réforme agraire a divisé par deux les rentes et les propriétés terriennes de l'empire Lê Văn An. Pour la première fois, les agriculteurs avaient la chance de posséder les terres qu'ils labouraient. Parallèlement à cette nouvelle politique, mon grand-père a subi un infarctus qui l'a également diminué de moitié. Sans ces secousses, mon père n'aurait probablement jamais épousé ma mère.

Dalat • Đà Lạt • En latin : *dat aliis laetitiam aliis temperiem*

Les filles de Đà Lạt étaient connues pour leur teint pâle et leurs joues roses. Certains croient que la fraîcheur des hauts plateaux préserve leur éclat alors que d'autres attribuent la douceur de leurs gestes à la brume qui recouvre ces vallées. Ma mère faisait exception à cette généralité. Très vite, très tôt, elle a accepté que les garçons ne lui diraient jamais « Tu es mon printemps » même si son prénom, Xuân, voulait dire « printemps » et qu'elle vivait dans un lieu surnommé « la ville au printemps éternel ». Ma mère n'avait pas hérité de la peau souple et fine de ma grand-mère. Elle portait plutôt les gènes khmers de son père, comme en témoignait son visage robuste auquel s'étaient ajoutés les ravages de l'acné durant l'adolescence. Afin de faire détourner les regards et de coudre les lèvres des bouches amères, elle avait choisi de devenir une femme féroce, armée d'une volonté de fer et d'un vocabulaire dur, masculin. Elle avait été première de classe de la maternelle jusqu'à sa dernière année d'études. Sans attendre le début de ses cours en gestion, elle avait pris très jeune les rênes de la ferme familiale d'orchidées, diversifié et réorganisé la production pour la transformer en une entreprise à la croissance exponentielle.

À son père haut fonctionnaire, elle avait demandé l'autorisation d'apporter des améliorations à la villa louée aux vacanciers. Assez rapidement, elle l'avait convaincu d'en acheter plusieurs autres pour satisfaire à la forte demande : nombreux étaient ceux qui recherchaient une destination leur rappelant l'Europe, loin d'un quotidien que la température tropicale et les relations conflictuelles entre dominants et dominés rendaient parfois suffocant. On disait que Đà Lạt, comme son nom l'indiquait, avait le pouvoir de donner du plaisir à certains et de la fraîcheur à d'autres.

Ma mère avait quinze ans lorsque la famille de mon père a loué la villa de Đà Lạt pour la première fois. Mon père ne l'a pas remarquée car, à son passage, elle devait baisser les yeux pour ne pas se trahir. Elle l'a épié de loin pendant ce premier séjour de la famille du juge Lê Văn An. Dès l'année suivante, elle a insisté pour s'impliquer dans la préparation des repas, surveillant chaque détail, des carottes finement taillées en forme de fleurs et ajoutées aux sauces jusqu'aux morceaux de pastèque, dont on retirait une à une les graines à l'aide d'un cure-dent afin de ne pas en déchirer la chair.

Le matin, le café devait être préparé à partir des excréments de civette, particularité qui lui attribuait son goût caramélisé, sans amertume. Ma mère apportait elle-même ce café matinal sur la terrasse de mon père, espérant le voir appliquer de la brillantine sur son peigne pour sculpter ses cheveux d'ébène, à la Clark Gable. Elle avait le souffle coupé chaque fois qu'elle le voyait retourner le peigne, utiliser le bout pointu du manche pour laisser tomber une petite mèche en forme de S sur son front. Même si elle était debout à quelques pas de lui pour attendre que le café coule goutte à goutte à travers le filtre déposé directement sur un des quatre rares verres Baccarat de la famille, elle restait invisible à ses yeux. Elle prolongeait le plaisir d'être en sa compagnie en serrant la plaque du filtre, ralentissant ainsi l'eau chaude dans la couche de café fortement compacté. Aux dernières gouttes, elle passait le dos de la cuillère sous le filtre, un geste qui mettait fin à l'écoulement. Comme tous les Vietnamiens, mon père prenait son café sucré au lait condensé, sauf la première gorgée, qu'il préférait noire, pure. C'est après cette première gorgée qu'il a enfin adressé la parole à ma mère.

Buôn Mê Thuột

Étonné du goût distinct et soyeux du café, il a tourné les yeux vers ma mère. Elle lui en a confié le secret en lui montrant une petite boule difforme sertie de grains, ramassée dans les environs des plantations à Buôn Mê Thuột. Ces boules provenaient des civettes sauvages qui rejetaient les grains tout entiers après avoir mangé et digéré les cerises de café mûres. Et puisque les coolies n'avaient pas le droit de profiter des fruits qu'ils cueillaient pour le compte des propriétaires, ils avaient transformé ces excréments, qui s'étaient révélés plus exquis et, surtout, plus rares que les récoltes habituelles. Mon père est devenu instantanément un adepte. Ma mère s'est portée volontaire pour être son fournisseur et celle qui lui détaillerait les arômes ajoutés avec parcimonie pendant la torréfaction, dont le précieux beurre importé de France. Toutes les deux semaines, elle emballait avec soin un sac de café qu'elle ou un employé remettait en mains propres à mon père. Elle a respecté cette habitude durant la saison des pluies, pendant les manifestations dans les rues de Saigon, entre l'arrivée des Soviétiques dans le Nord et le déploiement des soldats américains dans le Sud.

Quand la famille Lê Văn An venait à Đà Lạt, ma mère continuait à veiller aux besoins de mon père, du café à l'aube jusqu'à la moustiquaire à insérer entre le matelas et le lit. Après l'infarctus de mon grand-père paternel, les parents de ma mère invitaient ce dernier avec sa famille à venir plus souvent puisque l'air de Đà Lạt était reconnu pour ses bienfaits. Peu à peu, une des villas est devenue la résidence de la famille de mon père, même si celle-ci n'avait plus les moyens de payer ce genre de séjour. Ma mère était comblée de voir mon père laisser son empreinte sur les chemins de terre dans le jardin de rosiers et d'entendre sa voix résonner entre les pins la nuit.

Les réformes et les changements politiques ont appauvri considérablement la famille Lê Văn An. Malgré son air insouciant, mon père s'inquiétait de l'érosion de son confort. L'écho assourdissant de la coquille qui se vidait de l'intérieur lui renvoyait l'image du beau prince sans royaume. La crainte de devenir un homme déchu lui a dicté de retenir la main de ma mère en plein vol. Un seul mot a pu s'échapper de sa bouche : « Xuân. » Un seul mot de mon père a suffi à engendrer la promesse éternelle de ma mère : « Oui, je vais m'occuper de tout. »

Grand Lac • Hồ Xuân Hương • Lac au parfum printanier

Le mariage de mes parents a été l'événement de la saison à Đà Lạt. Afin d'assouvir la curiosité des employés et des habitants de la ville, mes parents ont paradé en décapotable autour du lac Hồ Xuân Hương avant d'arriver à la réception, où les personnalités et les dignitaires de la région les attendaient, où toutes les femmes pariaient sur l'avenir malheureux de ma mère. Au bras de mon père, accompagnée également de ses parents et de ses beaux-parents, ma mère a salué les invités de chacune des tables. Mon père et mes deux grands-pères ont remercié chaque groupe pour leurs vœux de bonheur en trinquant et en faisant cul sec avec le porte-parole de la table. Pendant que les hommes trichaient en remplissant leurs verres de thé au lieu de whisky pour pouvoir finir la tournée sans tomber, ma mère prenait plaisir à dévisager les femmes qui l'avaient ouvertement appelée « singe », « sauvage », « travestie » depuis sa naissance. Jusqu'à la fin de leur vie, elles continueraient d'être mystifiées par la décision de mon père. Ma mère pouvait faire fi de ces insultes, car elle marchait désormais dans l'aura de la beauté de mon père.

Être l'épouse de mon père effaçait ses narines épatées, ses paupières tombantes, sa mâchoire carrée. Elle se présentait aux gens en tant que Mme Lê Văn An et imposait cette nouvelle appellation à ses employés car, chaque fois que ce nom était prononcé, elle entendait mon père lui chuchoter que ses cheveux cascadaient comme l'eau de la chute de Prenn, que ses prunelles étaient aussi rondes et brillantes que deux noyaux de longane et, surtout, qu'aucune autre femme ne le comprenait mieux qu'elle. Dès la première année de mariage, elle a créé un trône pour permettre à mon père d'être le souverain de son royaume en achetant un entrepôt et une villa à Saigon. Il est devenu le maître de ce point de chute où marchands et acheteurs venaient passer leurs commandes auprès d'une équipe montée par ma mère et officiellement dirigée par mon père. Ma mère informait ses employés que celui-ci devait participer à de nombreux événements mondains en soirée. C'est pourquoi il était strictement interdit de le déranger le matin, le midi, pendant ses siestes, pendant ses temps de réflexion… Toute question devait lui être adressée à elle en premier, alors que toutes les décisions prises par mon père devaient être exécutées en priorité.

Cholon • Chợ Lớn • Grand marché

Elle arrivait au bureau à 4 h 30 du matin, à la fin du marché des grossistes, pour recevoir le premier rapport de ventes de ses employés. À 7 heures, elle était de retour à la maison, qui se trouvait à quelques coins de rue de là. Ces deux propriétés ne lui auraient pas été accessibles si elle n'avait pas mentionné ses ancêtres chinois. Chợ Lớn abritait et abrite toujours la communauté chinoise, qui est reconnue pour sa solidarité et sa force commerciale. Gontran de Poncins, un vicomte français à la fois auteur, aventurier et journaliste, y avait élu domicile en 1955 pour la rédaction d'un ouvrage sur la culture chinoise. M. Poncins soupçonnait que les coutumes ancestrales étaient mieux préservées dans les colonies qu'au pays mère ou, du moins, sur une plus longue période. Mon grand-père Lê Văn An a eu de longues conversations avec M. Poncins à ce sujet et aussi à propos de M. Yvon Petra, né à Chợ Lớn et devenu en 1946 le dernier vainqueur français de Wimbledon à ce jour. Ce joueur de tennis a également été le dernier à porter le pantalon long sur le terrain. Mon grand-père était persuadé qu'il avait respecté cette tradition vestimentaire jusqu'à la fin à la manière des enfants nés à Chợ Lớn, qui non seulement pratiquaient les us et coutumes millénaires mais parlaient le vietnamien avec l'accent chinois même s'ils n'avaient jamais mis les pieds en Chine.

Mon père n'a jamais aimé Chợ Lớn. Il préférait le centre-ville de Saigon avec ses cafés français et ses bars américains. Il aimait surtout prendre sa bière sur la terrasse de l'hôtel Continental, où les journalistes étrangers passaient leurs journées à analyser le mouvement des troupes et les plus récentes chansons à la mode. Le plus souvent possible, il réservait la table où Graham Greene, correspondant de guerre au début des années 1950, aimait se tenir pour observer la ville et s'inspirer de ses voisins de table pour imaginer les personnages de son roman *The Quiet American.*

Hai Bà Trưng • Les deux dames Trưng

À l'apogée de l'empire Lê Văn An, mon grand-père collectionnait des demeures situées dans la rue Hai Bà Trưng des différentes villes où il était de passage. Il voulait rappeler à mes tantes d'être indépendantes d'esprit et surtout combatives, en suivant l'exemple des deux sœurs Trưng, qui avaient repoussé l'armée chinoise et gouverné soixante-cinq villes et villages pendant trois ans avant de se suicider à la perte du pouvoir. En hommage à ces deux héroïnes incontestées depuis presque deux mille ans, mon grand-père offrait l'usage de ces maisons aux nièces, cousines, amies et boursières pendant leurs études. Au fil des années, les bénéficiaires transformaient ces lieux temporaires en résidences permanentes en y fondant leur famille.

Mon père s'était approprié la maison de la rue Hai Bà Trưng à Saigon, où il recevait ses maîtresses et ses amis. Ils se réunissaient pour une partie de ping-pong ou de poker avec leur flamme du jour, ou encore pour les « jeux interdits », comme il aimait dire en faisant référence à la bande sonore du célèbre film français, mélodie apprise par tous les jeunes Vietnamiens qui tentaient de faire chanter une guitare. Une fois marié, il a continué à utiliser cet espace pour les mêmes raisons, à l'instar de beaucoup d'hommes de son entourage. Par délicatesse et pour sa propre survie, ma mère n'y mettait jamais les pieds. Elle rappelait seulement au serviteur de toujours prévoir une assiette de fruits frais, de préparer les crevettes séchées mélangées aux gousses d'ail sauvage marinées pour accompagner l'alcool de riz, et d'apporter des baguettes et du pâté à consommer avec le vin.

Ce serviteur était et est toujours l'ami le plus proche de mon père. Trois mois les séparent. Sa mère avait été engagée pour être la nourrice de mon père par ma grand-mère paternelle, qui ignorait que la jeune femme avait quitté son village pour mener sa grossesse à terme. Les deux garçons sont devenus des frères. Ils jouaient ensemble aux billes, aux batailles de criquets, aux duels à l'épée. Ils élevaient des poissons guerriers, un par bocal, qu'ils séparaient par un morceau de carton pour les préserver avant le réel combat. Parfois, ils se permettaient d'enlever le carton pour admirer le déploiement de leurs nageoires. Le bleu ouvrait sa queue en demi-lune ; le blanc balayait l'eau de ses volants comme si sa longue robe de mariée était aussi légère que l'air; l'orange était moins spectaculaire, mais extrêmement précieux parce qu'il n'abandonnait jamais; autant l'orange attaquait, autant le jaune était maître dans l'art d'éviter son adversaire en attendant patiemment le moment fatal pour le frapper. Les deux garçons passaient des heures à discuter de la personnalité de leurs poissons et à les nourrir de larves de moustiques. Leur passion pour ces poissons d'eau stagnante des rizières les a suivis jusqu'à l'âge adulte. Leur collection s'est agrandie dès qu'ils ont pu élever aussi des femelles et ont su comment les mettre en présence du mâle durant les périodes de fécondation. Ils observaient de très près les mâles faire des nids de bulles en préparation des naissances et chasser les femelles dès qu'elles avaient pondu. Les garçons les changeaient alors de bocal afin d'empêcher les femelles de dévorer leurs petits. Ils élevaient leurs poissons ensemble, comme une famille qui leur appartenait exclusivement. Ils avaient leurs préférés mais ressentaient une profonde tristesse à la perte de chacun.

Thủ Đức

Mon père et son serviteur étaient des frères aux noms de famille différents, aux parents différents et aux écoles différentes. L'un fréquentait l'école du quartier au sol de terre battue et l'autre transportait ses cahiers dans un sac en cuir d'éléphant. Tous connaissaient l'école de mon père, qui portait le nom de Pétrus Ký, un intellectuel qui avait enseigné et diffusé la langue vietnamienne écrite avec l'alphabet romain au lieu des caractères chinois. Même si le vietnamien s'écrit aujourd'hui au son, la plupart des mots portent encore la trace des images originelles des idéogrammes.

Mon prénom, Bảo Vi, illustrait l'intention de mes parents de « protéger la plus petite ». Si l'on traduit littéralement, je suis « Précieuse minuscule microscopique ». Comme dans la plupart des cas au Vietnam, je n'ai pas su être à l'image de mon nom. Souvent, les filles qui s'appellent « Blanche » (Bạch) ou « Neige » (Tuyết) ont le teint très foncé, et les garçons nommés « Puissance » (Hùng) ou « Fort » (Mạnh) craignent les grandes épreuves. Quant à moi, je grandissais sans cesse, dépassant de loin la moyenne et, du même élan, me projetant en dehors des normes. Les enseignants me plaçaient dans la dernière rangée afin d'avoir une meilleure vue d'ensemble de la salle de classe. Ils détectaient ainsi le moindre faux mouvement et l'élève coupable se retrouvait instantanément au tableau devant ses soixante camarades, la main ouverte, attendant le coup de règle en bois sur la paume ou les jointures. Après coup, il lui était extrêmement difficile de tenir sa plume, de tremper la pointe dans le pot d'encre et d'écrire sans trembler. Malgré l'effort et l'utilisation du buvard rose tenu dans la main gauche qui accompagnait les mouvements de la plume pour éponger l'excès d'encre, il réussissait rarement à suivre les lignes horizontales de deux millimètres des cahiers à réglure Séyès sans déborder et sans tacher les feuilles. En plus d'avoir la main enflée, il perdait des points à cause de la malpropreté. J'étais certainement une élève modèle en comparaison des étourdis relégués au fond de la classe. Ou du moins la plus délicate puisque je tentais du mieux que je pouvais d'être une « Vi », une fille microscopique. Invisible.

Si mon père avait été aussi invisible que moi à la fin de la guerre, il n'aurait pas été arrêté et envoyé dans un camp de rééducation dans la région de Thủ Đức, où il partageait avec ses dix camarades de hutte sa ration quotidienne de dix cacahuètes. Puisque mon père est né avec le destin des princes, il a été libéré au bout de deux mois. Son frère serviteur avait réussi à le sauver en démontrant aux autorités que mon père l'avait soutenu financièrement dans son travail d'espionnage pour la résistance communiste. Selon son argument, il avait aidé indirectement le Nord à gagner la guerre contre le Sud, ce qui l'avait blanchi de son statut de bourgeois capitaliste. Sans l'intervention de ce frère ennemi, il serait resté à creuser des canaux, à déminer les champs, à défricher la terre avec les autres prisonniers qui n'espéraient plus connaître la date de leur libération. Ils se permettaient seulement l'attente de la visite d'une sauterelle ou d'un rat pour leur repas du soir, car toute autre réflexion pouvait être interprétée comme une trahison à la pensée communiste. Le chirurgien de la hutte voisine qui avait fait sécher au soleil quelques minuscules galettes de riz a été accusé d'avoir préparé sa fuite au lieu de se concentrer sur sa rééducation. Un comptable a reçu la même condamnation quand il a confié aux autres prisonniers qu'il entendait le bruit des motos qui longeaient le côté nord de la prison. Si mon père avait vu d'autres hommes être convoqués par les gardes et ne jamais revenir au camp, il aurait peut-être choisi de s'enfuir du Vietnam. Il ne nous aurait peut-être pas abandonnés à notre course vers l'inconnu sans lui. Comme ma mère, il aurait peut-être choisi en priorité de sauver ses garçons du service militaire. Malheureusement, encore une fois, il s'est retiré dans le cocon de sa garçonnière, isolée des vagues de la vie.

Catinat

Nous avons quitté le Vietnam avec une amie proche de ma mère, Hà, et ses parents.

Hà est beaucoup plus jeune que ma mère. Au début des années 1970 à Saigon, elle incarnait la femme moderne à l'américaine avec ses robes très courtes qui montraient sa tache de naissance en forme de cœur incliné sur le haut de sa cuisse gauche. Je me souviens de ses irrésistibles chaussures à plateforme dans l'entrée de la maison, qui me donnaient une impression de décadence, ou du moins qui me proposaient un nouveau point de vue sur le monde lorsque je les enfilais. Ses faux cils empesés de mascara transformaient ses yeux en deux ramboutans aux poils touffus. Elle était notre Twiggy, avec ses ombres à paupières vert pomme et turquoise, deux couleurs qui juraient avec sa peau cuivrée. Contrairement à la plupart des jeunes filles, fuyant le soleil afin de se différencier des paysannes des rizières qui devaient rouler leur pantalon jusqu'aux genoux et subir la violence de la lumière, Hà exposait sa peau à la piscine du très sélect Cercle sportif, où elle me donnait des leçons de natation. Elle préférait la liberté à l'américaine à l'élégance de la culture française, ce qui lui avait donné le courage de participer au premier concours de Miss Vietnam, même si elle était professeure d'anglais.

Ma mère n'approuvait pas son choix, qui allait à l'encontre de son statut de jeune femme de bonne famille bien éduquée. Mais elle l'a soutenue en lui achetant la robe longue et le maillot que Hà porterait sur scène. Elle l'a fait s'exercer à marcher sur une ligne droite du carrelage, en maintenant un dictionnaire en équilibre sur sa tête, comme dans les films. Ma mère s'occupait d'elle comme une grande sœur et la protégeait des mauvaises langues. Elle permettait à Hà de m'emmener faire les belles boutiques de la rue Catinat et de prendre un soda-lime avec ses amis étrangers. Hà avançait dans cette rue de grands hôtels avec la fierté d'un conquérant. La ville lui appartenait. Je me demandais si ma mère ne l'enviait pas de pouvoir faire preuve d'une telle désinvolture grâce à la pluie de compliments qu'elle recevait de la part de ses professeurs et collègues américains. Ces derniers célébraient sa beauté avec des tablettes de chocolat, des bigoudis, des disques de Louis Armstrong, alors que les Vietnamiens qualifiaient son teint basané de « sauvage ». À plusieurs reprises, mes grands-parents ont demandé à ma mère de me retirer des cours de natation avec Hà. Je soupçonne que ma mère leur a désobéi et l'a gardée près de nous parce qu'elle espérait que j'apprendrais à être belle. Malheureusement, ce temps avec Hà au Vietnam a été trop court. Ou mon apprentissage, trop lent.

Vinh • Victorieux

En 1954, le dix-septième parallèle fendait le Vietnam en deux. En 1975, le 30 avril traçait une ligne marquant la frontière entre l'avant et l'après, entre la fin d'une guerre et sa suite, entre le pouvoir et la peur. Avant, nous entendions le rire de Hà dès qu'elle éteignait le moteur de son scooter. Elle rigolait en sautant à la marelle avec les enfants dans la ruelle, elle taquinait le jardinier de l'irrésistible transparence de sa chemise trop usée, elle répondait sans peur aux jappements de nos chiens de garde… Après, Hà est devenue l'épouse d'un général originaire de Vinh, une ville du Nord rasée par les bombardements mais remplie d'âmes errantes, dont celles de ses parents, qu'il n'avait pas pu revoir avant leur enterrement sous les décombres. Sans ce général, toute la famille de Hà aurait été envoyée dans les terres marécageuses inhabitables appelées « nouvelles zones économiques ».

Devenir la femme du général a permis à Hà de continuer à enseigner l'anglais, de ne pas faire la queue pour acheter leur ration mensuelle de sucre, de riz et de viande. Personne n'osait émettre de commentaires désobligeants envers celles qui avaient fait le même choix que Hà. Mais le regard des autres sur elle la blessait autant que les gifles du général qu'elle acceptait de recevoir. Elle ne pouvait épargner à ses parents les bruits trahissant sa soumission puisqu'ils se trouvaient juste de l'autre côté d'un rideau nouvellement installé. Afin de ne pas bondir comme des bêtes, ses parents se taisaient. Ils faisaient les morts. Ils craignaient que Hà ne suive l'exemple de la voisine, qui s'était tiré une balle dans la tête après avoir réussi à faire libérer son mari du camp de rééducation en échange d'une vie de couple avec un haut gradé du Nord. Ce nouveau conjoint avait consenti à la libération et aussi à la fuite en bateau de son mari et de ses enfants. Après leur départ, elle avait appuyé sur la détente pour sa propre libération.

Ma mère recevait la nouvelle Hà sans maquillage et aux vêtements sombres avec la même attention qu'avant. Elle l'attendait avec de la ouate et la bouteille de lotion qu'elle utilisait pour soigner toute blessure. Aux dires de sa famille, cette longue infusion d'alcool de riz et d'herbes médicinales avait soudé le cou d'un cousin tranché par des éclats de bombe, empêché l'infection des brûlures d'une voisine qui avait été aspergée d'acide par une épouse jalouse, et pouvait faire disparaître les ecchymoses avant même que les larmes sèchent.

Autant Hà exposait fièrement ses paupières maquillées avant son mariage avec le général, autant elle dissimulait ses yeux au beurre noir sous le large bord d'un chapeau dès le début de sa vie de couple. J'avais l'impression qu'elle devenait de plus en plus petite, non seulement en raison de ses babouches plates en plastique qui rasaient le sol, mais également à cause de l'absence de ses rires fracassants. Elle montait les marches comme une ombre, pour bien s'insérer dans le silence qui recouvrait le pays entier. Les trous de serrure ne laissaient filtrer aucune conversation secrète. Les vents circulaient sans transporter de mots ni de musique. Dans l'air, seuls voyageaient les messages du gouvernement projetés par les haut-parleurs, rappelant le jour du grand ménage, où tous les habitants du quartier devaient sortir leur balai en même temps pour nettoyer les rues ; ou annonçant un procès jugé par trois voisins contre un ancien avocat qui avait osé citer pendant une discussion le Code Napoléon ; ou dénonçant les familles qui avaient célébré un mariage avec trop de bonheur ou pleuré avec trop de cœur la perte d'un être cher… Je ne savais pas que ma mère profitait de ces annonces publiques pour glisser à l'oreille de Hà l'adresse d'un passeur qui organiserait notre départ du Vietnam.

Siam

Hà a traversé le golfe de Siam en même temps que nous. Elle avait réussi à convaincre la coiffeuse de lui présenter son cousin, qui travaillait pour quelqu'un qui connaissait quelqu'un qui pouvait lui recommander un organisateur. Aucun nom, aucune promesse ne lui avaient été donnés. En échange des taëls d'or exigés pour son passage et celui de ses parents, on lui avait dit de se rendre au salon de coiffure le plus souvent possible afin d'obtenir les dates de départ. Elle est ainsi devenue la messagère de ma mère.

Nous avons pris le même autobus à l'aube d'un matin qui devait s'apparenter à tous les autres, mon père encore au lit et ma mère en mouvement, enchaînant les tâches sans faire de bruit. Elle m'a enfilé mon habit d'écolière par-dessus deux pantalons. J'obéissais à chacun de ses gestes. Je savais déjà qu'il ne fallait pas poser de questions pour ne pas fragiliser son regard fixe, qui servait de barrage à ses larmes. Je la revois frotter les ongles de mes frères avec du charbon, contrairement à tous les autres jours de leur enfance où une nourrice les limait pendant qu'une autre chantait pour les distraire. Quant à ma mère, elle portait les vêtements de notre marchande de fines herbes.

Pendant le trajet de Saigon jusqu'à l'eau, j'ai gardé mon visage collé sur sa blouse encore imprégnée du parfum de la mélisse citronnelle qui refusait de céder la place à celui de la coriandre. Ce mélange de parfums dans l'autobus m'a endormie, m'évitant de sentir les gouttes de sang du poisson que la passagère debout à côté de nous transportait dans un sac, qui coulaient parfois sur moi lors des virages à gauche. Le sommeil m'a empêchée de craindre le policier qui a demandé à voir les papiers d'identité de Hà et de mon frère Long, assis deux rangées derrière nous. Avant de sombrer, j'ai vu le père de Hà glisser de l'argent entre les mains de celui qui reprochait à mon frère Lộc de porter les cheveux longs, comme les capitalistes, un geste rebelle méritant la prison.

Beijing • Băc Kinh • Pays du milieu

Nous avons parcouru trois cents kilomètres en dix heures. Vers la fin du trajet, je n'entendais plus les poules glousser en chœur avec les bruyants *cạp cạp cạp* des canards sur le toit, enfermés dans leur cage en rotin tressé. La première fois que j'ai mangé du canard laqué à Pékin, alors que notre serveur taillait minutieusement les morceaux de peau à déguster en rouleaux, sans la viande, je n'ai pas pu m'empêcher de penser à ces canards. Je me demandais si leur peau se détachait aussi de leur chair sous la chaleur cuisante du toit, comme celle du canard laqué, comme la mienne, qui m'avait paru si boursouflée après ce long voyage. Mes pieds avaient enflé dans la chaleur dense et figée de l'autobus, débordant des ganses, étirant la peau jusqu'à sa transparence.

Lorsque j'étais plus petite et encore extrêmement sensible aux variations de température, mon père m'installait dans la voiture pour m'y endormir dans l'air conditionné quand il y avait des pannes d'électricité. Il me couchait à côté de lui, puis sillonnait la ville. Sa main caressait mes cheveux humides, et il disait : « Ma fille fermente comme le yaourt. » Aussi, il comparait mes mains aux boules de pâte des petits pains briochés que ma mère et moi préparions ensemble tous les dimanches. Selon mon père, même les boulangers parisiens ne pouvaient se mesurer à ma mère. D'ailleurs, même s'il mangeait dans les meilleurs restaurants de la ville, il nous répétait qu'aucun chef ne savait retirer les fleurs de courgette farcies de la poêle comme elle, juste à temps pour préserver la texture des pétales. Seule ma mère en maîtrisait la cuisson et parvenait à faire ressortir leur sucre sous le croustillant de la légère panure à la farine de riz. Comme les autres familles vietnamiennes, nous présentions tous nos plats au milieu de la table en même temps, à une exception près. Ma mère servait mon père dans des assiettes séparées des nôtres afin de lui réserver le meilleur : le crabe à carapace molle le plus gorgé d'œufs, les bâtonnets de pommes de terre frites parfaitement ordonnés, les feuilles de chicorée les plus tendres… Il allait de soi que la cinquantaine de pépins de la pomme cannelle étaient enlevés, et sa chair blanche et mielleuse lui était tendue comme une offrande.

Bruges

Mon père nous faisait découvrir des délices rapportées d'ailleurs, allant des grains d'anis de Flavigny au foie gras, en passant par les cantaloups parfois disponibles dans certains restaurants français de Saigon. Il insistait pour célébrer Noël avec des bûches et recevait ses amis plus souvent avec des éclairs au chocolat qu'avec les bonbons au sésame noir ou à la banane. Pour mon troisième anniversaire, la cuisinière avait reçu l'ordre de confectionner un gâteau de trois étages à la crème au beurre. D'habitude, j'étais plus attirée par les puddings au riz et taro ou par la crème glacée servie dans un pain brioché. Ce jour-là, poussée par une envie inconnue, j'ai mordu dans le premier étage à peine le gâteau déposé sur son socle. Personne ne pouvait croire que j'étais capable d'un geste aussi décadent et spontané. Mon père a blâmé le chien qui était attaché à dix mètres de la cuisine.

J'ai retrouvé cette même envie excessive et incontrôlée la première fois que j'ai mordu dans une gaufre liégeoise. J'ai reconnu la texture de la pâte et le goût du sucre perlé décrits par mon père, qui avait été happé par le parfum du beurre fondu dans un gaufrier à la gare de Bruxelles. J'ai entendu sa voix lorsque je me suis promenée devant les boutiques de Bruges, où il avait acheté un châle en dentelle à ma mère. À l'époque, le compagnon de route de mon père avait préféré offrir du tissu à son épouse, qui s'était empressée d'en faire un *áo dài*. Le lendemain, elle avait vu à la télévision une jeune présentatrice météo porter exactement le même. Pourtant ce tissu était introuvable au Vietnam. Elle avait cherché à entraîner ma mère dans sa rage de jalousie en imaginant divers scénarios de folle vengeance, allant d'un face-à-face à une dénonciation dans le journal. Cette femme avait certainement raison de croire que ma mère vivait une situation conjugale semblable. Ma mère est restée impassible pendant sa crise de colère. Elle lui a seulement conseillé de ne pas s'humilier en humiliant la maîtresse et son mari. Puis elle a placé le châle de dentelle aussi fragile qu'une brise sur son *áo dài* en soie en vue d'une réception en l'honneur de son beau-père, le juge Lê Văn An. À ses oreilles, la paire de perles offertes par sa belle-mère à la naissance de mes frères jumeaux. Si elle devait croiser une autre femme vêtue du même châle, elle la saluerait avec l'assurance de celle qui est la mère des quatre enfants portant le nom de mon père.

Un jour, alors que je faisais la sieste dans un hamac, ma mère a reçu la visite d'une jeune femme accompagnée d'un garçon de mon âge appelé Trí. À travers les mailles, je le regardais jouer aux billes. Des bribes de la conversation me parvenaient même si elles chuchotaient. Avant de retomber dans le sommeil, j'ai vu ma mère déposer dans la paume de la jeune femme sa chaîne et son bracelet en or, et je l'ai entendue lui dire de retourner à Cà Mau et de ne plus jamais tenter de déranger mon père.

Cà Mau

Cà Mau, reconnue pour la couleur noire de ses eaux marécageuses et de sa forêt dense et sombre, se trouve dans la pointe la plus au sud du Vietnam. Entourée de trois mers, elle est parfaitement située pour les fuites en bateau. Nous nous sommes cachés chez mon demi-frère, Trí, en attendant un signe de notre passeur. Sa mère, celle qui portait la chaîne de ma mère autour du cou, nous a nourris pendant les deux jours qui ont précédé notre départ. Ma mère a proposé d'emmener Trí avec nous. Dans le chaos de la peur, du silence et de la noirceur, Trí est monté dans une barque différente de la nôtre avec Hà, qui avait égaré ses parents dans la foule. Nous avons quitté le Vietnam dans trois bateaux différents. Le nôtre a accosté en Malaisie sans avoir rencontré ni tempête ni pirates. Hà et Trí n'ont pas eu la même chance. Leur bateau a été intercepté par les pirates à quatre reprises. Au cours de la dernière attaque, Trí a reçu un coup de machette accidentel d'un homme nerveux. Ma mère a menti à la sienne en lui disant qu'il était porté disparu en mer avec les parents de Hà. Mon père n'a jamais su qu'il avait perdu un fils.

Malaisie

Mon prénom ne me prédestinait pas à faire face aux tempêtes en haute mer et encore moins à partager une paillote dans un camp de réfugiés en Malaisie avec une dame âgée qui pleura jour et nuit pendant un mois sans nous expliquer qui étaient les quatorze jeunes enfants qui l'accompagnaient. Il fallut attendre le repas d'adieu à la veille de notre départ vers le Canada pour qu'elle nous raconte soudainement sa traversée. Ses yeux avaient vu son fils se faire trancher la gorge parce qu'il avait osé sauter sur le pirate qui violait sa femme enceinte. Cette mère s'était évanouie au moment où son fils et sa bru avaient été jetés à la mer. Elle ne connaissait pas la suite des événements. Elle se souvenait seulement de s'être réveillée sous des corps, au son des pleurs des quatorze enfants survivants.

Quand les mots ont commencé à effleurer les lèvres sans couleur de cette femme qui ne ressemblait plus qu'à un fantôme, ma mère m'a chassée de la hutte dans le but de préserver l'innocence de mes huit ans. Son geste était inutile puisque les murs étaient en sac de jute et les plafonds, en toile. De toute manière, des histoires semblables s'entendaient autour du puits, dans la poussière, pendant le sommeil, partout dans le camp. Je savais qu'il fallait éviter les deux hommes soupçonnés de cannibalisme pendant leur traversée et ne pas déranger la femme-statue qui attendait religieusement de l'aube jusqu'au crépuscule l'arrivée de son bébé sur la plage.

Ma mère est devenue *de facto* la chef du groupe des femmes sans mari, car elle exigeait de mes frères qu'ils aident les autres mères en leur apportant des bidons d'eau.

Lorsque nous sommes arrivés au camp, les délégations française et australienne venaient de le quitter. Personne ne pouvait nous informer de la date de leur retour ni du passage des délégations provenant d'autres pays. Il allait de soi qu'aucun réfugié ne projetait de vivre à long terme dans le camp. Mais nos tâches quotidiennes nous enracinaient malgré nous dans ces terres chaudes et hostiles. De nouvelles habitudes s'installaient : les jeunes garçons se réunissaient au crépuscule autour d'un palmier, dont le tronc suivait le plan horizontal du sol, pour jouer aux billes offertes par un de nos surveillants malais ; les nouveaux amoureux s'évadaient derrière les gros rochers sur la colline ; les artistes sculptaient les épaves des bateaux. Assez rapidement, pousser son seau vide pendant trois heures pour arriver au puits devenait aussi banal que les douleurs de la dysenterie chronique. L'inconfort de la proximité physique et mentale s'atténuait au rythme des rires spontanés et des retrouvailles inespérées. Dans cet univers isolé, les amitiés se créaient au moindre lien. Deux camarades de classe devenaient deux sœurs, deux natifs d'une même ville s'entraidaient en cousins, deux orphelins formaient une famille.

Canada • Village

La délégation canadienne a été la première à nous recevoir. Ma mère avait monté une classe dans le camp. Elle enseignait les mathématiques en français aux enfants et la langue française aux adultes. Elle a eu la chance d'être invitée en tant qu'interprète auprès des délégations francophones lors des séances de sélection. Elle ne savait pas que la délégation canadienne offrait aux interprètes la possibilité d'immigrer. Parce que nous avons fait partie de la première grande vague de réfugiés vietnamiens acceptés au Canada, nous n'avions pas entendu d'échos concernant ce pays, qui nous semblait hivernal les douze mois de l'année. Ma mère nous assurait que nos racines de Đà Lạt nous aideraient à nous acclimater au froid. À moi, elle racontait que le père Noël habitait au pôle Nord, tout près du Canada.

Québec • Là où le fleuve rétrécit

Nous sommes arrivés dans la ville de Québec pendant une canicule qui semblait avoir déshabillé la population entière. Les hommes assis sur les balcons de notre nouvelle résidence avaient tous le torse nu et le ventre bien exposé, comme les Putai, ces bouddhas rieurs qui promettent aux marchands le succès financier et, aux autres, la joie s'ils frottent leur rondeur. Beaucoup d'hommes vietnamiens rêvaient de posséder ce symbole de richesse, mais peu y parvenaient. Mon frère Long n'a pas pu s'empêcher d'exprimer son bonheur lorsque notre autobus s'est arrêté devant cette rangée de bâtiments où l'abondance était personnifiée à répétition : « Nous sommes arrivés au paradis ! »

Limoilou

Long s'est occupé de nous trouver des vêtements plus appropriés à la saison, car ma mère n'avait acheté au vendeur ambulant malaisien que des habits chauds en vue du froid canadien. Elle était heureuse et fière d'avoir trouvé pour moi dans la boutique-brouette une paire de bottines en faux cuir rouge, dont la brillance faisait oublier la doublure déchirée à l'intérieur. Le talon du pied droit usé inégalement m'a donné la démarche de la petite fille qui s'en était départie après une utilisation plutôt longue puisque les fermetures éclair avaient été reprisées plusieurs fois. Elle est devenue mon amie imaginaire, celle qui me poussait à poser un pied devant l'autre dans un monde tout nouveau qui m'effrayait par son espace et ses horizons.

Semblable aux poules élevées dans le creux des grosses tiges de bambou par les familles habitant sur des bateaux, je préférais rester immobile dans notre appartement, déjà trop vaste en comparaison de notre coin de terre dans le camp de réfugiés. Mon corps avait adopté la forme de celui de mes frères et de ma mère. Je dormais au milieu de leurs bras, de leurs côtes et des bosses du sol. Comment se retrouver du jour au lendemain seule dans le moelleux du matelas sans être enveloppée de la sueur de mes proches, sans être bercée par leur souffle ? Comment perdre soudainement la présence permanente de ma mère ? Comment trouver son chemin devant un horizon sans fin, sans fils barbelés, sans surveillants ?

Étant donné l'absence d'adresses au camp de réfugiés, nous utilisions des repères visuels : la dame qui prête des aiguilles a un seau d'eau en émail avec une anse, l'interprète pour l'allemand dort sous une corde à linge bleue réparée avec des lambeaux de tissu, la coiffeuse a cloué un miroir sur un mince tronc d'arbre. Pour rejoindre la couturière, il faut passer devant la roche où le moine médite à l'aube, tourner à gauche au puits, contourner les toilettes et demander aux voisins et aux passants où elle se trouve. Alors, avec mes yeux encore peu habitués à la vastitude, comment pouvais-je tracer mon chemin au milieu des larges et longs boulevards bordés d'arbres qui semblaient tous parfaitement identiques ?

Kobé • Porte des esprits

Étant l'aîné, mon frère Long a porté le poids du rôle de chef de famille. Il remplaçait à la fois mon père et ma mère. Il s'occupait de nous pendant que ma mère lavait la vaisselle au restaurant du coin jusqu'à minuit. Il nous apprenait notre adresse, notre numéro de téléphone et les salutations en français en donnant l'exemple. Long tendait la main et fraternisait avec les voisins. Il souriait à toutes les personnes qu'il croisait sans discrimination : la dame du rez-de-chaussée derrière son déambulateur ; les enfants-sauterelles du troisième ; le monsieur tatoué ; la jeune fille en minijupe et talons hauts… Il ouvrait les portes et aidait à porter les sacs d'épicerie. Il balayait les mégots, les dépliants publicitaires et les emballages de friandises dans les escaliers. Il jouait au ballon avec les enfants. En quelques semaines, tout le voisinage connaissait son nom. Ses années d'apprentissage du français dans les écoles de Saigon lui avaient permis de saisir rapidement le fonctionnement du réseau de transport en commun.

Il sillonnait la ville en autobus et demandait aux chauffeurs avec fierté et assurance : « Puis-je avoir un *corresponsable,* s'il vous plaît ? » Il obtenait ainsi un ticket à remettre au chauffeur suivant, grâce auquel il pouvait poursuivre son trajet jusqu'au centre-ville.

Mon frère-héros a convaincu le propriétaire d'un restaurant japonais de l'engager. Au début, il était aide-serveur, puis il a vite été promu au poste de chef jongleur d'ustensiles derrière la plaque chauffante. Il faisait voyager les convives jusqu'à Kobé, un endroit où il n'avait jamais mis les pieds. Sa manipulation acrobatique des ingrédients lui accordait une identité japonaise. D'un côté, les clients nourrissaient leurs rêves d'exotisme. De l'autre, mon frère Long se dirigeait vers la réalisation de ses rêves.

UNHCR • HCR • Haut-Commissariat des Nations Unies pour les réfugiés

Avant d'arriver au Canada, je ne connaissais qu'un seul sigle : UNHCR. Le Haut-Commissariat collaborait avec le Croissant-Rouge malaisien pour livrer eau et nourriture à plus de deux cent cinquante mille réfugiés vietnamiens se trouvant dans des camps éparpillés dans toute la Malaisie, et plus particulièrement sur l'île Pulau Bidong, où vivaient près de soixante mille personnes. Beaucoup de gens ont été déployés sur le territoire pour nous offrir un toit où nous abriter du soleil, de la pluie et aussi des noix de coco, qu'il y avait en abondance sur cette île. Malgré ces précautions, une femme en avait reçu une sur la tête et était tombée dans le coma. Elle était en train de laver ses bols et ses louches en coque de noix de coco quand l'accident avait eu lieu. Un représentant de la délégation canadienne avait voulu la transporter à l'hôpital, mais en raison d'un orage le canot n'avait pas pu atteindre le bateau qui les aurait conduits sur la terre ferme. Cette femme avait survécu à la traversée du golfe de Siam, au manque d'eau et de nourriture pendant plusieurs semaines. Elle avait été épargnée par les pirates quand ils l'avaient trouvée cachée dans un fût d'huile à moteur. Malheureusement, elle avait perdu contre le destin pendant la nuit. Elle est morte sans famille et sans pays.

Contrairement au sort qu'elle avait réservé à cette femme, la vie nous a emmenés jusqu'au Canada. Quand nous avons appris la nouvelle, je me souviens que Long m'a soulevée pour me faire virevolter dans les airs. Dès notre emménagement sur la 3e Avenue à Limoilou, il a voulu nous mettre sur les rails du présent en nous inscrivant à l'école le plus rapidement possible. Il rencontrait les professeurs, surveillait nos devoirs et rêvait à notre avenir pour nous. Alors que Long avait le charisme de mon père et l'audace de ma mère, son frère jumeau, Lộc, et notre frère Linh préféraient rester en retrait. Au départ, Long voulait qu'ils fassent des études d'ingénieur comme tous les étudiants vietnamiens arrivés dans les années 1960. Mais Lộc a choisi de suivre les traces d'un bénévole québécois qui l'a inspiré à devenir biologiste en oncologie. Quant à Linh, il semblait être né pour passer ses jours et ses nuits à faire de la programmation informatique. Long a poursuivi ses études en gestion et a mis en pratique ses connaissances en devenant gérant du restaurant Kobé. Dès qu'il a obtenu son diplôme, il s'est vu confier les rênes des deuxième et troisième Kobé de la ville par son patron. Par la suite, il a investi dans la création d'une chaîne de restaurants d'inspiration asiatique dans les centres commerciaux.

À l'université, il s'est impliqué activement dans la vie associative. Il était rare qu'il n'y ait pas d'invités autour de notre table puisque notre appartement était devenu le lieu de réunion des étudiants vietnamiens qui créaient ensemble un journal ou montaient une équipe de foot, de badminton ou de ping-pong en vue des olympiades.

En faisant abstraction des bottes dans l'entrée et des manteaux d'hiver qui s'empilaient sur les lits, nous aurions pu prétendre être de retour à Saigon. Le parfum typique des cuisines vietnamiennes embaumait l'air grâce à ma mère. Elle nous plongeait dans l'odeur de la citronnelle hachée et rôtie mariée à la peau croustillante des poissons, ou dans celle des jeunes pousses de bambou sautées puis trempées dans la sauce de poisson à la lime. Elle servait des plats longs et complexes à réaliser parce qu'elle voulait bien nous nourrir, mais surtout parce qu'elle avait l'aide de Hoa, l'élue de Long.

Bát Tràng • Bát = Bol ; Tràng = Territoire, terrain, place

Hoa a suivi mon frère Long dès leur premier cours de philosophie. Elle apportait toujours une seconde portion pour lui quand il était en réunion durant l'heure du dîner. Long avait hérité de notre père une beauté qui attirait autant les hommes que les femmes. Ses amis ne demandaient qu'à le suivre puisqu'il réalisait leurs rêves. Celui qui étudiait en sciences en refoulant son rêve de chanter était invité à organiser une soirée de chansons vietnamiennes dans le local où se donnait le cours de théâtre. Le futur médecin pouvait alors goûter à l'ivresse de la scène en compagnie de ses camarades qui auraient aimé devenir guitaristes ou danseurs. Celle qui saisissait le monde en le dessinant était invitée à contribuer au journal puisque son talent restait ignoré dans ses cours de chimie et de physique. Les premiers de classe étaient parfois des poètes cachés à qui Long donnait l'occasion de signer leurs textes sous pseudonyme pour ne pas alerter leurs parents.

Contrairement à ces étudiants, Hoa se concentrait sur ses cours en techniques infirmières sans posséder ni rêve ni talent particulier. Elle savait par contre être très discrète et extrêmement habile pour se tenir dans l'ombre de Long sans l'encombrer. Sa plus grande qualité était de répondre aux attentes et aux exigences de notre mère. Long s'était toujours plié aux demandes de cette dernière même lorsqu'elles étaient déraisonnables, car il portait le poids de sa déchirure.

Ma mère inspectait avec intransigeance la grosseur de la glace concassée par Hoa avant qu'elle soit ajoutée dans les verres de café préparé à la vietnamienne, soit une goutte à la fois. Au Vietnam, la glace se vendait par morceaux cassés dans des colonnes de plus d'un mètre de long. Ici, Hoa devait fabriquer ces blocs dans des boîtes de conserve de lait condensé au lieu des bacs à glaçons. Selon ma mère, la forme de la glace avait un effet sur le goût du café, tout comme l'épaisseur des ficelles du porc rôti lorsqu'elle préparait le *bì*. Elle reprenait directement de la planche de Hoa les morceaux coupés à plus d'un millimètre de largeur pour les retailler et lui enlevait le couteau lorsqu'elle perçait accidentellement la peau du poulet en le désossant. Nous retenions notre souffle chaque fois que les épiceries soldaient des poulets entiers. Notre mère en achetait au moins cinq et s'appliquait pendant une partie de la nuit à les désosser complètement avant de les farcir par la plus petite fente possible afin qu'ils ne s'écrasent pas.

Long organisait de temps à autre des pique-niques et, souvent, il servait ce plat à ses amis, qui n'avaient qu'à se couper une tranche pour avoir un repas complet dans leur assiette. Ils ne soupçonnaient pas que chaque bouchée renfermait des heures de travail, d'humilité et d'obéissance de la part de Hoa. Elle devait subir les ordres précis de ma mère concernant la cuisson du riz pour la farce, qui doit se faire en deux temps, la taille des cubes de saucisson vietnamien une fois cuit, le bon dosage de champignons shiitake dont le parfum doit accompagner sans envahir… Hoa supportait tous les excès de ma mère en silence, même lorsque j'étais seule avec elle à retirer la pellicule des arachides une à une. Patiemment, elle me montrait comment rouler une bouteille vide sur les graines pour les concasser sans les émietter.

Je me demandais si sa délicatesse venait de la longue tradition de Bát Tràng, sa ville natale, de travailler l'argile pour produire des porcelaines fragiles ou de son acceptation d'être née plus faible. Hoa savait d'avance que l'université lui serait difficile, voire inaccessible. Elle espérait seulement que Long lui donnerait la chance de lui exprimer son amour. Comme dans son métier d'infirmière, elle n'attendait rien en retour, ni de ses patients ni de Long, surtout pas une demande en mariage en bonne et due forme le jour de son anniversaire.

La personnalité effacée de Hoa pouvait aussi s'expliquer par son séjour dans un camp bondé à Hong Kong, où la simple respiration de l'un empiétait déjà sur l'espace de l'autre. Comme tous les réfugiés, elle avait appris très rapidement à entrer dans sa bulle pour pouvoir être seule. La première fois que j'ai entendu au Québec l'expression « Tu es dans ma bulle », je pensais que mon interlocuteur me déclarait son amitié en me permettant d'être dans ses pensées, dans son espace intérieur, alors qu'il voulait en fait que je m'en dégage. À l'opposé de la culture occidentale, qui encourage l'expression des sentiments et des opinions, les Vietnamiens les gardent jalousement pour eux ou ne les verbalisent qu'avec beaucoup de retenue parce que cet espace intérieur constitue le seul endroit qui soit inaccessible aux autres. Le reste, des résultats scolaires jusqu'aux salaires en passant par le sommeil, est du domaine public, tout comme les histoires d'amour.

Je me demande si l'impudeur sur les détails personnels découle de la température tropicale qui refuse la fermeture des portes, des fenêtres et des murs, du manque d'espace entre les deux ou trois générations habitant sous le même toit, de la dépendance aux liens familiaux, ou encore du poids de l'histoire familiale, qui doit être portée comme une gratitude et, parfois, comme un fardeau. Le succès d'un enfant appartient aux parents et à ses ancêtres. Chacun des membres de la famille est solidairement responsable de tous les autres. Les plus forts portent les plus faibles. Autrement, leurs réussites seraient entachées par leurs manquements au sens du devoir et à la reconnaissance envers leur clan. De même, chacun se sent et se montre coupable des erreurs des autres. Je me souviens d'un homme, de son fils et de sa fille qui se sont agenouillés devant ma mère pour un vol que sa femme avait commis. Il avait rapporté les deux chaînes en or avec des grelots que ma mère mettait autour de mes chevilles afin de m'entendre courir dans la maison. J'ai tendu mes pieds à ma mère, mais elle s'est penchée pour attacher les bijoux autour des chevilles des deux enfants encore à genoux. Je n'ai plus jamais revu cette nourrice, qui était coupable non seulement du vol mais, surtout, de la honte qu'elle avait infligée à ses enfants. Ma mère nous répétait souvent que nous avions la chance d'avoir des parents qui ne pratiquent ni l'escroquerie ni l'indécence. Mais, parfois, même des parents honnêtes ne résistent pas à la pression du poids de l'histoire d'un peuple qui se transfère d'une génération à l'autre.

Une amie de ma mère, ancienne professeure, nous a raconté un soir d'hiver que, dans une de ses classes à Nha Trang, un jeune étudiant d'un père militaire du régime du Sud et une aussi jeune étudiante d'un père militaire du régime du Nord étaient tombés follement amoureux avant de connaître l'histoire familiale de chacun, car ils avaient grandi après la réconciliation entre le Nord et le Sud. Quand les deux mères ont appris la nouvelle, elles ont demandé une rencontre avec la professeure afin que celle-ci les aide à interdire une union entre ennemis. Les mères ont également fait appel aux amis de leurs enfants pour qu'ils les incitent à se séparer. Un jour, alors que la concierge balayait la cour au son constant et répétitif des roseaux grattant le ciment, la mère du garçon est entrée en trombe dans la classe et s'est jetée devant le tableau noir en hurlant: «Il est mort!» Les pleurs des étudiants ont accompagné ses cris, qui s'échappaient par les fenêtres pour traverser la cour de récréation jusqu'aux autres salles.

Tout le monde pleurait, sauf la jeune fille amoureuse. Ses yeux sont restés secs, et son corps, inébranlable. Elle a quitté l'école à la fin de la journée en même temps que ses camarades, le pas régulier, le souffle régulier et les gestes réguliers. Elle a patiemment tendu son ticket au préposé pour récupérer sa bicyclette, qu'elle a fait rouler à côté d'elle jusqu'à la sortie avant de placer son chapeau conique sur sa tête et la courroie sous son menton. Elle a tiré sur le pan arrière de son *áo dài* pour le tenir dans sa main droite en s'asseyant sur le vieux cuir de la selle avec la grâce de la jeunesse, et elle a pédalé. Aucune émotion ne pouvait se lire sur son visage ni dans le rythme régulier de ses coups de pédale. De loin, elle ressemblait aux autres étudiantes que les romantiques comparaient à des papillons blancs. Les adolescentes savaient qu'ensemble elles embellissaient les rues à la sortie des classes avec leur uniforme en mouvement. L'étudiante au cœur non pas brisé mais arrêté ne s'est pas écartée de cette beauté virginale. Elle est arrivée chez elle et a salué sa mère qui l'attendait avec une collation de riz collant au *gấc* – un gâteau carré sur lequel est moulé le mot « bonheur » en chinois, que les mariés offrent aux invités lors de leur cérémonie devant l'autel des ancêtres.

La teinte orangée du riz parfumé et coloré par la chair du *gấc* pourrait se perdre dans le rouge vif des nappes, des décorations et de la robe de la mariée. Mais les invités la repèrent toujours puisque le *gấc* ne mûrit qu'une fois par année. Les mariages hors saison doivent se passer de ce fruit du paradis, comme disent certains. C'est pourquoi la mère était très heureuse d'avoir reçu en cadeau pour sa fille ce gâteau richement orangé. Elle l'a remis comme une offrande à sa fille, qui l'a remerciée poliment puis a tracé le mot « bonheur » avec son doigt pendant une quinzaine de minutes sans le manger. La professeure avait suivi son étudiante jusqu'à la maison. Puisque beaucoup de maisons vietnamiennes étaient complètement ouvertes en raison du rez-de-chaussée souvent transformé en espace commercial pendant le jour, elle a senti en même temps que la mère de son étudiante le vide venir aspirer tout l'air de la pièce.

Soudain, les klaxons des motocyclettes, le bruit des deux rouleaux pressant les tiges de canne à sucre chez la voisine et celui des conversations de ses clients attendant leur verre de jus se sont tus. Il a fallu le choc du corps de la jeune fille contre le carrelage pour que sa mère et sa professeure poussent leur premier cri. Elles ont tenté de la réveiller en lui frottant les tempes et les pieds avec du baume de tigre, mais elles n'ont jamais réussi à la faire revenir à elle. La professeure a proposé de rester auprès de son étudiante cette nuit-là. La mère lui a rappelé qu'il était utile de surveiller les vivants, mais que personne ne pouvait rien pour les morts. Même si la jeune étudiante n'avait jamais eu le droit de lire *Roméo et Juliette* ni de voir le film *Love Story* ou d'entendre parler de *Tristan et Yseult*, même si ses connaissances littéraires se résumaient à la biographie de Hô Chi Minh et des héros de guerre, même si les décorations épinglées sur l'uniforme de son père lui auraient assuré un avenir privilégié, elle avait choisi de rejoindre son amour. Elle s'était libérée de la lourde histoire laissée en héritage par une guerre qu'elle n'avait pas connue en marchant vers la beauté de la mer paradisiaque de Nha Trang.

Copenhague • Port des marchands

Pendant toute mon enfance, nous allions à la mer presque tous les mois pour « changer de vents », comme disait mon père. L'eau salée guérissait miraculeusement la peau craquelée des talons de ma grand-mère et mon nez souvent congestionné. L'air salin faisait grandir mes frères et amplifiait nos rires autour des seiches séchées vendues sur la plage par des marchands ambulants. Deux seiches complètement aplaties et grillées sur quelques charbons rouges nourrissaient la famille entière pendant tout l'après-midi puisqu'elles se mangeaient fibre par fibre. En bouche, le goût de ces filaments élastiques durait plus longtemps qu'un chewing-gum Juicy Fruit. Ces moments joyeux et légers dans le sable ne m'empêchaient pas de craindre la mer, autant pour son immensité que pour sa profondeur et sa beauté. Mon père m'enfilait la plus belle des bouées autour de la taille et me poussait vers les eaux en mouvement. Je pensais mourir chaque fois qu'une vague m'éloignait du souffle de mon père dans mon cou. Il tournait la tête du canard de ma bouée vers l'horizon en pensant que le calme de la surface m'apaiserait. Il me faisait également pivoter dans l'autre sens pour que je voie notre parasol et ma mère cachée sous un grand chapeau, des lunettes de soleil et une serviette sur la tête. Les deux points de vue me paralysaient. Cette peur maladive m'a habitée toute ma vie, jusqu'à ce que nous apprenions que l'océan n'avait pas englouti le bateau de Hà.

Après plusieurs semaines en mer avec un moteur en panne, et les naufragés à court de nourriture, son bateau a été sauvé par un cargo danois. Hà est allée directement à Copenhague sans passer par les camps, sans revoir les autres passagers pour ne pas risquer de capter dans leur regard l'image de son corps violé à répétition. Grâce à sa connaissance de la langue anglaise, elle a pu s'intégrer rapidement en travaillant dans des hôtels, où elle a appris l'existence de la massothérapie. Après avoir suivi des cours, elle s'est réinventée en massothérapeute. Les clients disaient qu'elle réparait les corps. Très vite, son calendrier s'est rempli un mois à l'avance. Elle prolongeait ses heures de travail afin de recevoir tout le monde. Mais un jour, elle a refusé de traiter un homme après avoir rempli sa fiche de santé. Il s'appelait Louis. Il n'avait rien de particulier, mais son regard l'avait secouée. Elle a raconté qu'elle avait dû serrer ses poings pour cacher ses doigts qui frémissaient comme les feuilles d'un tremble.

Au Danemark, elle a réussi à se concentrer sur le bien-être des autres. Elle a appris à lire la déception dans un deltoïde, la honte dans un grand dorsal, la résignation dans un moyen fessier… Elle localisait toutes ces tristesses dans les fibres musculaires poür les adoucir, les alléger et, lorsque c'était possible, les éliminer en répétant le geste de sa mère, qui saisissait la douleur de ses blessures de petite fille dans sa main et la lançait en l'air pour la faire disparaître. Ses doigts avaient le don non seulement d'hypnotiser ses clients, mais également de laisser le poids de leurs traces sur la peau longtemps après la fin de la séance. Par contre, elle a toujours refusé de recevoir un massage de ses collègues. Elle craignait que la pression d'une main sur sa peau casse son corps craquelé. Elle n'aurait pas su comment ressouder les morceaux ni remettre en ordre les mille miettes qui se seraient étalées devant elle, telle une ville après le passage d'un ouragan. Ses clients la considéraient comme sereine, douce et même sage, alors que Louis avait immédiatement deviné son extrême fragilité et le chaos latent sommeillant en elle, qui guettait le premier fléchissement pour tout faire basculer. Louis a attendu jusqu'à un soir de tempête, jusqu'à la dernière journée de l'année pour marcher vers elle à l'abribus et lui proposer un thé. Après une longue journée à remettre les corps en équilibre, à porter les blessures de ses clients, Hà a senti ses jambes flancher. Louis l'a attrapée et aimée.

Ottawa • Échange commercial

Hà a suivi Louis à Ottawa, où il est revenu à la fin de son mandat à Copenhague. Elle a retrouvé ma mère en cherchant le nom de ses parents dans tous les annuaires. Louis l'a amenée jusqu'à nous. Hà et ma mère ont parlé toute la première nuit. Je les écoutais pleurer et parfois se taire. De cette longue conversation, le mot « chance » ponctuait les étapes et les épreuves traversées. Depuis l'amour de Louis, Hà offrait la massothérapie à des femmes endommagées, en détresse et sans ressources dans les refuges. Elle les aidait aussi à se contempler dans le miroir, à écouter une chanson des Bee Gees avec elle ou à choisir un vêtement dans la garde-robe collective pour un entretien d'embauche. C'est grâce à l'amitié de ces femmes qu'elle a osé commencer à compter le nombre de gifles reçues, le nombre de pirates rencontrés, le nombre de pas qui l'avaient séparée de ses parents pendant la nuit de fuite.

Manhattan • Île aux nombreuses collines

J'ai découvert Manhattan à treize ans. Hà m'y a emmenée avec Louis pendant un week-end. Elle avait proposé à ma mère de me prendre chez elle pendant les congés. Ma mère lui a donné la permission de s'occuper de moi comme si j'étais sa fille. Hà a donc commencé par déboutonner le col et les manches de mes blouses. Au restaurant, elle exigeait que je choisisse entre hamburger et pizza, entre vanille et chocolat, entre jus de pomme et lait frappé. Ensuite est venu le choix des couleurs pour les murs de la chambre des invités afin de la rendre mienne dès la deuxième année de visites à Ottawa. Comme mon frère Long, Louis et Hà recevaient souvent et beaucoup d'amis à leur table. Louis se donnait la mission de me sortir de la cuisine pour me présenter aux convives. À leur arrivée, il me soutenait en mettant sa main au milieu de mon dos, alors qu'à la fin des repas il la plaçait sur mon épaule pour m'empêcher de me lever et de ramasser les assiettes. Au cours de la soirée, il suspendait toujours la conversation à un moment opportun en insérant une question qui m'obligeait à répondre, à être présente à part entière. C'est chez eux que j'ai appris l'existence du Burundi, du Chili, du Maroc, du Sri Lanka, de la Guadeloupe, et aussi de l'OTAN, de l'OCDE et de la Cour internationale de justice… Louis avait des amis d'origines diverses, souvent nomades en raison de leur profession dans la diplomatie.

Ou, à l'inverse, ils avaient choisi d'être diplomates pour vivre partout dans le monde sans jamais devenir citoyens, sans jamais appartenir à un lieu.

Mon frère Long reprochait souvent à ma mère de m'avoir confiée à Hà et à Louis, car le chemin stable et facile qu'il avait imaginé pour moi en pharmacologie ou en médecine avait été remplacé par un parcours imprévisible et chaotique.

Shanghai • Sur la mer

Alors que Louis était en poste à Shanghai, Hà m'a offert un billet d'avion pour les rejoindre pendant le congé estival. Je consacrais mes soirs d'hiver et de printemps à étudier le chinois à partir d'un livre trouvé à la bibliothèque du quartier. Il contenait l'analyse de mille caractères classés selon le nombre de traits. À ma grande surprise, le caractère du chiffre « un » formé d'un seul trait horizontal était considéré comme le plus important puisqu'il illustrait l'unité primordiale, la fusion entre ciel et terre, l'horizon, le commencement du commencement. Chaque caractère racontait une histoire propre et, lorsqu'il était combiné à un, deux ou trois autres, de nouvelles histoires se formaient et transformaient le sens premier. Je suivais ainsi les séries proposées par le livre.

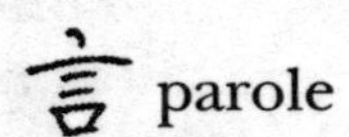

– parole + incliner le corps pour saluer
= remercier 謝
– parole + homme = messager / lettre 信
– parole + se réjouir = narrer, dire 說

木 arbre

– deux fois arbre = touffu, serré 林

– trois fois arbre = sévère / sombre 森

– fruit + arbre = résultat / plein, complet 果

心 cœur

– cœur + cerveau = réfléchir 思

– cœur + regarder attentivement

= espérer / se souvenir de 想

– cœur + transpercer = malheur / être peiné 患

Je faisais une course contre le temps. Je n'espérais pas maîtriser en six mois le minimum de deux à trois mille caractères pour pouvoir lire le journal. Mais je voulais me préparer le plus possible pour mériter le précieux cadeau de Louis et Hà.

Dès mon atterrissage en Chine, j'ai été rassurée de pouvoir lire à l'aéroport les indications « Sortie », « Bagages », « Immigration » et, dans la rue, les enseignes « Restaurant », « Librairie », « Hôpital »... J'avais dans mon bagage un peu moins de mille mots que je connaissais par écrit. Toutefois, j'ignorais comment les prononcer et je savais encore moins les agencer pour en faire des phrases. A Yi, l'aide-cuisinière de la résidence de Louis et Hà, m'a prise sous son aile parce que j'ai tendu mes deux mains pour recevoir sa tasse de thé avec l'humilité d'une enfant envers une aînée plutôt qu'avec l'aisance d'une invitée de ses patrons ; aussi parce que j'ai failli m'étouffer en avalant la gousse velue et fibreuse des edamames ; et surtout parce que je lui répondais à l'aide d'un crayon, en traçant des caractères avec la maîtrise d'une écolière de quatre ans. Quand je n'étais pas en classe, je suivais A Yi au marché, au pressing et, une fois, à Suzhou pendant un congé de trois jours.

Les parents de A Yi habitaient encore dans leur maison ancestrale le long du canal. Mon niveau de chinois était trop faible pour que je leur pose des questions sur leur histoire d'amour au milieu de la révolution culturelle, devant les images de Mao Zedong, sous le régime de l'enfant unique. Mais la nourriture nous a soudées, sa mère et moi, puisque c'est moi qui ai trouvé par terre la dent qu'elle s'était cassée en s'acharnant sur un ligament des pattes de poulet vendues à la fenêtre de la maison d'en face. Le goût des cinq épices de la marinade des pattes m'était familier, tout comme l'échiquier des éléphants sur lequel le père d'A Yi jouait avec son gendre, à côté de nous.

Le mari d'A Yi est venu nous rejoindre au retour d'un voyage en France, où il avait été interprète pour un haut fonctionnaire pendant une mission commerciale. Je présumais qu'il avait étudié le français parce qu'il était francophile. Il m'a corrigée gentiment en précisant qu'il était plutôt devenu francophile à force d'étudier le français. Il faisait partie des meilleurs étudiants du pays à l'examen d'admission à l'université. Les autorités l'avaient assigné au département des langues et, plus spécifiquement, au français. Il a prononcé son premier « bonjour » en même temps que ses camarades. Ils n'avaient pas à réfléchir ni à choisir leur métier et leur avenir, car le gouvernement avait déjà décidé pour eux. Si le mari d'A Yi avait pu, il aurait choisi le génie agricole, qui le passionnait depuis toujours. Mais il se raisonnait et se rappelait que, dans ce cas, il n'aurait pas fait partie des privilégiés autorisés à voyager. Il n'aurait pas dormi au-dessus des nuages, senti les conifères dans la taïga, constaté la foi des fidèles qui viennent balayer la pagode Shwedagon à Rangoon le jour de leur anniversaire. « L'État te connaît mieux que tu ne te connais », a-t-il conclu en chantant *Je ne regrette rien.*

Dans mon cas, mes frères, ma mère et Hà me connaissaient mieux que je ne me connaissais.

A Yi a confirmé que l'État commençait à connaître intimement Louis et Hà puisqu'elle leur a montré un soir le cahier de notes qui contenait la liste de tous les visiteurs et la durée de leur séjour à la maison. Elle devait le remettre aux autorités de la ville toutes les semaines. Quelqu'un quelque part dans un bureau éclairé au néon savait que Hà écrivait son journal en vietnamien quand elle se réveillait en sursaut dans la nuit, que Louis possédait une montre Rolex datant des années 1940, reçue en héritage de son père, que le couple faisait des dons importants à des écoles tibétaines… En revanche, je suis certaine qu'il n'entendait pas Louis déclarer souvent au petit-déjeuner qu'il se réveillait à côté de la plus belle femme du monde, ni le voyait savourer le plaisir que lui procurait une caresse dans les cheveux d'ébène de Hà coupés au carré comme ceux d'une poupée japonaise. Louis aurait été capable de repérer Hà dans une foule juste au galbe de ses mollets. Son regard devenait amoureux chaque fois qu'elle se désignait à la manière des Asiatiques, en mettant son index sur le bout de son nez au lieu de le poser sur sa poitrine, comme le font les Occidentaux. Je l'ai toujours vu marcher en tenant la main de Hà dans la sienne.

Il collait chaque jour une nouvelle citation sur le miroir de la salle de bain. Hà m'invitait à les lire avec elle. Ensemble, nous cherchions les mots inconnus dans le dictionnaire et tentions d'en saisir le sens avant le retour de Louis à la fin de la journée. « Qu'est-ce que ton baiser ? — Un lèchement de flamme », de Victor Hugo, a permis à Hà de m'enseigner la différence entre le baiser avec les lèvres de la culture occidentale et celui avec le nez des Vietnamiens. Alors qu'un goûte, l'autre hume, ce qui explique le mot *thơm* (parfum) pour demander ou donner un baiser entre jeunes Vietnamiens. La citation « Si tu m'aimais, et si je t'aimais, comme je t'aimerais », de Paul Géraldy, a brouillé notre ligne du temps. S'agissait-il d'un souhait ou d'un regret ? Nous n'avons pas poursuivi cette discussion parce que Hà a réagi très vivement au mot « regret » : « Promets-moi que tu n'auras jamais de regrets. Jamais. »

Boston

Je n'ai donc pas regretté d'avoir fait mes études au Québec plutôt qu'aux États-Unis. Hà me voyait passer mes soirées à la bibliothèque de Harvard, où Louis avait obtenu son diplôme en relations internationales. Il nous avait fait visiter le village universitaire et, surtout, la bibliothèque construite grâce à un don de Mme Widener à la mémoire de son fils décédé lors du naufrage du *Titanic*. Cent ans plus tard, l'université dépose encore un bouquet de fleurs fraîches dans la salle qui abrite la collection des trois mille trois cents livres de Harry, selon le souhait de sa mère. La bibliothèque de mon grand-père Lê Văn An avait probablement accumulé le même nombre de livres en vietnamien et en français.

Dès l'arrivée des premiers chars d'assaut communistes à Saigon, mon grand-père nous a ordonné de brûler les livres à caractère politique. Les semaines suivantes, nous déchirions aussi les livres d'histoire, les romans et les recueils de poésie afin d'éliminer au moins une accusation de trahison par la possession d'instruments antirévolutionnaires. En temps de chaos, il est préférable d'être concierge que philosophe, menuisier que juge. Les policiers ont emmené mon grand-père un après-midi au milieu de sa partie d'échecs avec Long. Il a été relâché trois jours plus tard, probablement parce que, en tant que juge, il avait pu faire libérer ses amis de la résistance.

Ou peut-être parce que le chef de police avait été touché par la lumière de la pleine lune qui enveloppait le corps partiellement paralysé de mon grand-père, étendu sur le banc sous le goyavier où il avait été gardé captif. Après son retour, le bruit de sa canne contre le carrelage soulignait l'absence des servantes, dont la responsable de l'époussetage des livres.

Si mon grand-père n'avait pas été aussi pressé de nous quitter, il aurait convaincu ma mère de me laisser partir vivre dans un dortoir universitaire aux États-Unis, même si mes opinions sur le cours obligatoire de sexualité à l'école l'effrayaient. Elle en avait signé l'autorisation en me rappelant l'importance de la virginité. Pendant longtemps, j'ai cru que c'étaient mes hormones d'adolescente qui m'avaient poussée à lui répliquer : « Un corps n'est pas une chose. Il ne peut donc être neuf ou usé ou usagé. » Le temps m'a fait comprendre que cette vision des choses me venait plutôt de Hà et d'un article lu dans le *Reader's Digest,* qui relatait les viols en mer vécus par des *boat people.*

À cette époque, j'avais quinze ans. Aucun garçon ne m'avait même remarquée à la table de fleurs, où je ramassais leur dollar contre un œillet de Saint-Valentin pour la campagne de financement du bal de promotion. J'étais aussi transparente que les pétales de la fleur squelette sous la pluie, même si je faisais partie des meilleurs élèves de mon école. Je savais comment disparaître pour ne pas embarrasser mon amie devant ses camarades. Sans que nous nous soyons donné de consignes claires, nous savions comment éviter les contacts visuels quand nous nous croisions dans le couloir ou à la cafétéria. Personne ne soupçonnait que nous nous parlions quotidiennement au téléphone après les heures de classe. Je connaissais son obsession pour le tricot, et elle, ma folie d'envelopper chacun de mes livres dans du papier d'emballage acheté en cachette pour maintenir leur statut de « cadeaux » toute l'année. Chaque dollar que je dépensais pour ces paquets de papier en « solde soldé », comme l'aurait dit Marguerite Duras, aurait pu nourrir un membre de ma famille au Vietnam pendant trois à quatre jours. Ce fut mon premier acte égoïste et, aussi, amoureux. Mes livres me préservaient des reproches de ma mère auprès de ma belle-sœur, Hoa. Sans eux, je n'aurais peut-être pas vu le sublime dans les yeux bleus de Clément, assis dans le fond de la classe avec ses joues aussi roses que des pommes d'amour. Ils m'ont aussi donné le courage de refuser la proposition d'une amie de ma mère de me présenter à un « garçon un peu effacé » comme moi.

Rimouski

Ma mère connaissait presque toutes les mères puisqu'elle travaillait avec l'Association des femmes vietnamiennes du Québec. Elle cuisinait beaucoup pour la célébration du Nouvel An qui avait lieu au Complexe Desjardins, à Montréal, où convergeaient les Vietnamiens vivant partout dans la province. Au Vietnam, il était très important pour mes grands-parents de voir la bonne personne franchir la porte la première au jour de l'An. La visite de cette personne était le gage du succès ou de la malchance qui parsèmerait l'année à venir. Au Québec, les Vietnamiens ont abandonné cette tradition, car la date du Nouvel An variait d'une année à l'autre entre le 21 janvier et le 20 février et tombait rarement sur un jour férié. Nous célébrions alors le Têt le dimanche qui précédait le vrai premier jour de l'année lunaire en nous réunissant dans un lieu assez vaste pour recevoir les quelques milliers de visiteurs et, surtout, pour installer nos kiosques de nourriture.

Contrairement aux habitudes des immigrants pauvres, nous nous permettions de dépenser sans trop réfléchir, sans nous sentir coupables. Les restaurants et traiteurs faisaient leur recette du mois en une journée, et les organismes communautaires, leur collecte de fonds annuelle. L'Association des femmes vietnamiennes arrivait probablement en tête parce que la compétition féroce mais solidaire entre celles qui cherchaient à montrer leur talent culinaire élevait le niveau des plats offerts. Ainsi, le matin de ces dimanches précédant le Têt, ma mère, Hoa et moi nous réveillions très tôt pour préparer les herbes, les fines tranches de porc, les crevettes coupées en deux sur la longueur avant de les envelopper dans les galettes de riz. Même si nous étions trois personnes aux mains différentes, il fallait que tous les rouleaux aient la même taille, incluant les trois centimètres de ciboulette aillée qui en dépassaient fièrement comme des antennes. Les jeunes achetaient nos rouleaux, les raviolis farcis, les pâtés chauds, le gâteau au manioc, alors que les mères se promenaient entre les kiosques pour zieuter les jeunes filles célibataires qu'une amie ou connaissance leur avait recommandées pour leurs garçons.

C'est lors d'une de ces fêtes qu'une dame a parlé à ma mère d'un garçon vivant à Rimouski. Elle était d'avis qu'il serait un bon mari pour moi, car nos signes astrologiques étaient compatibles: « Il n'est pas très beau, mais travailleur, comme ta fille Vi. » Ma mère voulait un homme fort pour moi, étant donné que je lui semblais timide et terne. Elle a alors souri gentiment à la dame. « Merci, tu as raison. Mais il ne faut pas le faire venir de si loin, pauvre garçon. » Au milieu de ce brouhaha, j'ai soudainement entendu le mot « intrinsèque », prononcé par un jeune homme en conversation avec ses amis dans la queue devant notre kiosque. Je ne connaissais pas ce mot, seulement la sœur de celui qui l'avait prononcé. Elle s'occupait de la caisse à côté de moi. J'étais très intimidée par son surnom, « la plus belle jeune Vietnamienne ». À ma grande surprise, elle m'a approchée en me complimentant sur mes cheveux droits et noirs, et sur mes cils denses mais cachés sous le pli des paupières. À la première pause, elle m'a emmenée dans les toilettes pour y appliquer du mascara afin de me faire réaliser la réelle longueur de ces cils, dont l'existence m'avait échappé jusqu'à cette révélation. Elle m'a présentée à son frère Tân en me tenant la main, comme si nous étions des amies de longue date. Je suis restée bouche bée parce que le mot « intrinsèque » de Tân m'avait intriguée, et son sourire a volé mon âme sur-le-champ.

Tân était de huit ans mon aîné. Par pure chance, il a déménagé de Montréal à Québec pour son emploi et est devenu un ami proche de mes trois frères grâce au badminton. Il venait souvent à la maison, tellement souvent qu'il a également reçu sa clé, tout comme les nombreuses familles qui avaient habité chez nous à leur arrivée au pays. Peu importait la taille de notre maison ou des familles, ma mère ouvrait grandes nos portes pour abriter les FOB – *fresh off the boat* – pendant aussi longtemps qu'ils le désiraient. Il y avait tant d'allées et venues qu'une fois mon frère Lộc avait croisé un voleur dans la maison sans même s'en soucier, pensant qu'il était l'ami de quelqu'un. Le malfaiteur était reparti avec la clé de la voiture laissée bien en vue puisque nous partagions tous la même. Avant que la police ne retrouve l'auto, Tân avait gentiment et généreusement prêté la sienne et servi de chauffeur lorsque c'était nécessaire, ce qui m'avait donné la chance de passer du temps seule avec lui.

Grâce à mon frère Linh, qui en avait fait la demande auprès de son employeur, j'ai pu à seize ans travailler pour la même entreprise que lui. Je passais mes soirées dans un immense bureau vide à imprimer des polices d'assurance, des chèques, des réclamations et autres paperasses, ce qui me permettait de faire mes devoirs et d'étudier entre deux changements de boîtes de formulaires. Lorsqu'il n'y avait pas d'erreurs, je terminais vers 22 heures. Mais les machines et programmes informatiques se plantaient au même rythme que les catastrophes naturelles ou accidentelles arrivaient aux assurés. Dans ce cas, je ratais le dernier autobus. Tân offrait alors de venir me chercher puisque j'étais celle qui cousait l'ourlet de ses nouveaux pantalons et repassait ceux qui venaient d'être lavés.

Comme ma mère auprès de mon père, comme Hoa auprès de Long, je devais l'aimer lentement, patiemment, en comptant et notant le nombre de fois qu'il prononçait mon nom par semaine. J'accrochais son manteau d'hiver au-dessus du radiateur pour le garder chaud. Je remplissais son verre de bière pour qu'elle reste bien froide. Je plaçais à côté de son café un biscotti pour garder vivante son adolescence à Rome, ville dans laquelle son père avait vécu en tant qu'étudiant étranger vietnamien et, plus tard, à titre d'ingénieur italien. Tân nous a initiés aux spaghettis *alla carbonara,* donc à la pancetta et au parmigiano. Il entonnait des chansons en italien et imitait Pavarotti. Il nous a fait découvrir *La Dolce Vita* et tous les autres films avec Marcello Mastroianni. Il a montré à ma mère et à moi le paso doble, le tango, le cha-cha-cha. *Black Magic Woman* de Santana tourne encore dans ma tête au rythme de ses « un, deux, cha-cha-cha ». Vu le nombre de personnes qui habitaient dans notre maison, ces leçons spontanées se transformaient rapidement en fêtes où Linh passait fièrement ses cassettes de compilation musicale.

Ces temps festifs ont pris fin lorsque l'employeur de Tân l'a rappelé à Montréal pour travailler sur un nouveau projet. Son départ m'a donné l'audacieuse idée de le suivre, de faire des demandes d'admission en traduction dans les universités montréalaises, d'aller à l'encontre de la volonté de ma mère et de mes frères. Je me suis enfuie de leur regard déçu et inquiet. Pendant longtemps, j'avais convaincu tout le monde, y compris moi-même, que je deviendrais chirurgienne, comme ma première amie au Québec. Elle m'avait un jour emmenée à la bibliothèque de l'école pour me montrer en images son rêve d'avenir. Je n'avais pas encore la capacité de rêver, alors je l'ai imitée. Je me suis approprié son choix jusqu'à l'immortaliser dans l'album de fin d'année. Je n'avais pas à l'expliquer puisqu'il plaisait à tous et répondait à leurs attentes. C'est pourquoi ma décision d'étudier en traduction a consterné ma petite communauté. Tous craignaient l'instabilité de mon avenir alors qu'ils auraient plutôt dû s'inquiéter de mon ignorance presque complète de la langue anglaise et, à un moindre degré, du français. Malgré leur désaccord, mes trois frères ont glissé de l'argent dans ma poche le jour de mon déménagement. Sur le seuil de la porte de ma chambre à la résidence universitaire, ma mère m'a dit très lentement, d'une voix grave : « Quand tu t'apercevras que tu as fait une erreur, je te demande d'avoir le courage de la reconnaître et de recommencer ailleurs. »

ONU • Organisation des Nations Unies

Je n'ai jamais eu ce courage. Je collectionnais les zéros, seule dans la pénombre de ma chambre. Je me consolais en me disant qu'au moins je protégeais ma mère de mes échecs en restant loin d'elle. Ces mauvaises notes à répétition me rappelaient que je devais continuer à lire le *Grevisse*, à le traîner dans mon sac à dos en tout temps, même si parfois son poids me faisait basculer dans les flaques d'eau au printemps et sur les plaques de glace l'hiver. Certes, je progressais en feuilletant les dictionnaires, mais mes difficultés me confirmaient jour après jour que je ne serais jamais interprète pour les Nations unies à New York, comme l'espérait Hà. Par manque de courage, j'ai poursuivi les trois années d'études et obtenu un diplôme non mérité. Je me revois à cette époque, le dos courbé et la tête baissée, alourdie par la honte autant dans les salles de cours et dans les couloirs de l'école que dans la famille de Tân.

Mes frères avaient investi Tân de la mission de s'occuper de moi. Alors, au moins une fois par quinzaine, il m'invitait aux repas familiaux chez ses parents, où il habitait encore. Parfois, il me confiait à ses sœurs, qui m'incluaient dans leurs soirées avec d'autres Vietnamiens de Montréal. Sur les balcons, autour des tables, les amis de Tân et de ses sœurs discutaient de leurs notes et des spécialités qu'ils allaient choisir après leurs études en médecine, des pharmacies qu'ils projetaient d'acheter, de la clinique dentaire à ouvrir dans tel ou tel quartier encore vierge de la présence vietnamienne. Personne ne s'intéressait à mon histoire sur le génie d'un professeur qui avait interprété une citation de Shakespeare par une équivalente de Molière, et encore moins à la liste des faux amis entre le français et l'anglais. Est-ce que *habit* veut dire « habitude » en anglais parce que les hommes portent souvent le même vêtement ? Comment *bribe* a-t-il pu devenir « pot-de-vin » en anglais ? La gentillesse est-elle si douce que « gentil » s'est transformé en *gentle* ? J'ennuyais les gens avec ma fascination devant ces déroutantes ressemblances et différences. Mais, malgré le désintérêt de part et d'autre, j'y retournais pour attraper un sourire de Tân, me rafraîchir la mémoire du son de sa voix, saisir un nouveau mouvement de ses mains…

Chibougamau • Lieu de rendez-vous

Je n'aurais jamais obtenu mon diplôme en traduction sans Jacinthe, ma camarade de classe chibougamoise devenue une grande amie. Jacinthe avait été touchée par ma candeur quand je lui avais demandé le sens du mot « rhétorique » et le genre du mot « catastrophe » durant un exercice dans le premier cours. Elle m'a convaincue de continuer ma formation même si un professeur m'avait fortement recommandé de changer de faculté à la suite de résultats désastreux. Je n'avais jamais été dernière de classe avant, mais j'ai pu survivre à l'humiliation de mes notes honteuses grâce à l'affection de Jacinthe. Elle me traînait dans les boutiques, les cafés, les parcs, en me promettant de m'aider à faire mes devoirs au retour à la bibliothèque, pour rattraper le temps perdu. Elle imposait des pauses dansantes pour entrecouper les longues séances de travail. Les mercredis soir étaient réservés aux visites gratuites dans les musées. Nous apprenions ensemble le nom des peintres et j'apprenais de Jacinthe l'enthousiasme.

Elle me présentait à ses connaissances et amis en m'appelant « Belle Vi », et de Tân elle exigeait une réponse affirmative à sa question : « N'est-ce pas qu'elle est belle, notre Vi ? » Tân acquiesçait poliment de la tête sans être du même avis. Je le voyais écouter les commentaires de sa mère : « Vi est grande, mais tellement foncée » ; « Pauvre petite ! Mais au moins, elle est gentille. » C'est pourquoi je n'aurais jamais pensé que Tân m'embrasserait un soir dans le parking du restaurant japonais où je travaillais tous les vendredis et samedis. Les odeurs de l'anguille grillée et du sukyiaki mêlées à celle de la tempura dans mes cheveux rendaient son eau de Cologne enivrante. Il a probablement seulement effleuré mes cuisses, mais tout mon corps semblait avoir été touché.

J'ai attendu le rendez-vous suivant en lisant le dictionnaire des synonymes et antonymes, et en tricotant avec Jacinthe et ses colocataires. Quand Tân m'est finalement revenu, il m'a offert une marguerite en plastique volée dans l'arrangement floral de sa mère au lieu d'une fraîche. Il n'avait pas besoin d'apporter de desserts à nos repas en tête à tête dans ma chambre parce que j'avais déjà ses préférés dans le réfrigérateur. Même si je ne buvais pas de café, il en trouvait une tasse fraîchement préparée tous les matins où il se réveillait à mes côtés. Il venait selon ses désirs puisque j'avais inséré ma clé dans son trousseau avant même qu'il en manifeste l'envie.

Côte-des-Neiges

Jacinthe m'avait persuadée de partager un appartement avec elle sur le chemin de la Côte-des-Neiges après l'obtention de notre diplôme afin que nous poursuivions nos études ensemble, mais cette fois en droit. Tân passait encore plus de nuits avec moi dans le confort du nid que Jacinthe avait créé, avec un mur rouge profond dans le salon et des toiles de ses amis peintres partout. Les absences prolongées et répétées de Tân ont entraîné une grande colère chez ses parents. Ils m'ont convoquée pour passer en revue les us et coutumes vietnamiens en concluant avec un conseil paternel : « Pense à la gratitude que tu dois à ta mère avant de continuer à l'humilier ainsi. »

J'espérais que Tân allait me défendre, nous défendre, se défendre. À ma grande surprise, il était également d'avis qu'une fille de bonne famille ne s'offrait pas aussi entièrement à un homme. Mais, par paresse, par facilité, par confort, il ne m'a pas quittée.

Les nouvelles ont voyagé jusqu'aux oreilles de ma mère par des personnes que je n'avais jamais rencontrées. Après mon premier examen en droit constitutionnel, elle m'a accueillie devant mon appartement. À peine avait-elle franchi le seuil que j'avais déjà les genoux pliés, collés au sol. Elle n'a pas enlevé son manteau, car elle voulait juste me dire deux phrases : « J'ai raté ton éducation. Je suis venue voir le visage de mon échec. » Elle est repartie aussi rapidement qu'elle était venue avec mon frère Lộc, qui l'attendait dans la voiture. J'ai découvert plus tard, dans la boîte aux lettres, une enveloppe remplie de billets de cent dollars avec une lettre de mes trois frères qui disait : « Reviens nous voir pendant la semaine de vacances si tu peux. »

Berlin

J'ai éteint la dernière étincelle d'espoir chez ma mère quand je suis allée rejoindre Tân à Berlin pour célébrer la chute du mur. Tân y était pour le travail pendant les deux mois qui ont marqué la fin d'une époque, la fin de l'Est et de l'Ouest, la fin d'une longue séparation. Pendant son absence, je lui ai écrit tous les jours. J'ai reçu deux cartes postales en réponse à mes lettres. L'une des deux représentait *Le Baiser de l'hôtel de ville* de Doisneau. Il y était écrit: « Une image vaut mille mots. » J'emportais les deux cartes partout: sur mon pupitre durant les cours, dans mon sac pendant les déplacements, à côté du miroir quand je me brossais les dents… Mon nom ne m'avait jamais paru aussi précieux et aussi bien écrit que de la main de Tân. Quand il m'a appelée pour me proposer ce voyage, j'ai abandonné ma famille après le réveillon de Noël pour m'envoler vers lui.

Le mur devant la porte de Brandebourg était moins élevé et beaucoup plus large, ce qui nous permettait d'y monter et de voir la foule qui arrivait des deux côtés. Autour de nous, les langues des quatre coins du monde s'entremêlaient pour ne faire qu'une. Le journaliste français qui nous a soulevés du sol pour nous aider à grimper nous a proposé le plancher de sa chambre d'hôtel si nous n'avions pas d'endroit où dormir. Le banquier portugais qui nous a hissés jusqu'en haut du mur nous a offert des gorgées de sa bouteille d'alcool. Une étudiante hollandaise a partagé avec nous sa tablette de chocolat. J'avais eu très froid pendant la visite de Berlin-Est, mais les accolades du soir entre visiteurs m'ont tenu chaud, jusqu'à ce que Tân m'écarte des bras d'un Libanais qui faisait deux fois ma taille et nous appelait tous *habibi*. Je suis ainsi descendue du mur, suivant les pas mécontents de Tân.

Mes frères et ma mère n'ont pas été heureux de recevoir les morceaux du mur que j'avais rapportés. À leurs yeux, ils étaient la preuve de mon escapade avec Tân, qui constituait un manque d'égards envers mes ancêtres, ma culture et tous les efforts et les sacrifices de ma mère.

Rio de Janeiro

Afin de normaliser la situation et de sauvegarder ce qui restait de nos réputations, les parents de Tân ont organisé nos fiançailles avec ma mère. À partir du moment où je me suis prosternée devant l'autel des ancêtres des deux familles, nous devions appeler nos parents *Ba* et *Má,* « père » et « mère ». Il allait de soi que Hà et Louis prendraient l'avion depuis Rio de Janeiro pour venir à la cérémonie. Hà avait insisté pour me maquiller et me coiffer avec la couronne traditionnelle. En défaisant mes bigoudis pour faire des boucles anglaises comme à son époque, elle m'a demandé de lui promettre de ne pas me marier avant l'âge de trente ans. Sans ce conseil insistant de Hà, nous aurions certainement procédé aux préparatifs du mariage, même si Tân avait commencé à réagir aux longues heures que je passais comme stagiaire dans un bureau d'avocats.

Jacinthe était également employée par une grande firme voisine de la mienne. Nous étions une vingtaine de recrues à travailler très fort, mais aussi à sortir manger ensemble à la fin de nos journées, vers 22 heures. Jacinthe avait des prétendants par dizaines. Elle était connue de toute la communauté juridique. La canine qui chevauchait une de ses dents rendait son sourire remarquable, de même que ses cheveux sauvages comme ceux d'une amazone. Elle était de ces rares femmes qui osaient des robes orange Fanta, des ensembles pantalon et veste ivoire, des boucles d'oreilles autres que des perles. Elle portait des décolletés et des talons vertigineux avec le naturel des femmes féminines féministes.

À notre première fête organisée à l'appartement, il y a eu tant de collègues qui sont venus avec leurs amis que nous en avons perdu le compte. Tân était irrité de trouver des étrangers assoupis dans mon lit et d'autres qui s'amusaient dans notre salle de bain. Il a quitté les lieux au milieu de la soirée avec un commentaire qui a marqué le début de la fin de notre histoire : « Tu "travailles" avec ces gens ? »

À partir de cette nuit d'euphorie entre jeunes qui avaient pour philosophie *work hard, play harder*, Tân ne s'est plus contenté des ragoûts que je confectionnais, des spaghettinis au zeste de citron ou des pâtés à la viande offerts par les parents de Jacinthe. Un soir, il a été si indigné d'apprendre mon absence à l'anniversaire du décès de son arrière-grand-père en raison d'un week-end de travail qu'il a jeté à la poubelle l'assiette et le croque-monsieur que je lui avais préparé. Jacinthe a bondi de sa chaise comme une lionne et a chassé Tân. Si je ne l'avais pas suppliée d'un regard effrayé et honteux, elle l'aurait probablement giflé en plus de lui lancer de sa voix grave et puissante : « Tu ne la mérites pas. Va-t'en. »

Il m'a fallu plusieurs semaines avant d'avoir le courage d'appeler les parents de Tân pour leur demander une brève rencontre. Ils ont exigé la présence de leur fils. Je leur ai rapporté les boucles d'oreilles et le collier en or qu'ils m'avaient offerts lors des fiançailles, de même que la bague de diamant que Tân, en ma présence, avait achetée à la dernière minute à une connaissance de sa mère, sans même l'avoir regardée. Il n'y avait ni boîte, ni demande, ni promesses. Je devais me considérer comme très privilégiée que les parents de Tân m'aient acceptée en tant que bru malgré mes écarts. Je me suis excusée auprès d'eux de l'absence de ma mère. Mais, comme parents, ils comprenaient que j'aie voulu lui épargner ce moment de déshonneur. La mère de Tân a conclu que ce drame avait été causé par ma désobéissance. J'aurais dû suivre ses conseils et n'entretenir des relations amicales qu'avec les amis de son fils. Il a refermé la porte en marmonnant qu'il avait su dès le début, dès que j'avais cédé à son premier baiser dans la voiture, que j'étais trop occidentale.

Mon comportement avait détruit la réputation de deux familles parfaitement respectables. Ma mère avait dû répondre aux questions des mères curieuses et, surtout, supporter leurs remarques assassines: « Lui permettre d'habiter seule était une erreur » ; « Hà a eu une mauvaise influence sur Vi » ; « Quel garçon osera vouloir d'elle maintenant ? »...

J'ai brisé ma relation avec ma mère. J'ai brisé ma mère. Comme mon père l'avait brisée.

Je me serais également brisée si une des avocates du bureau, devenue bâtonnière, ne m'avait invitée à l'accompagner au Cambodge pour rencontrer les barreaux de Phnom Penh, de Hanoi et de Luang Prabang. Nous y avons discuté de la rédaction de leur nouveau code civil, de l'influence du droit français après et sans le colonialisme, de la disparition de la frontière idéologique entre l'Est et l'Ouest, entre le communisme et le capitalisme… Les experts étrangers en chemise et cravate présentaient leurs analyses en faisant abstraction des traces de balles dans les murs extérieurs et parfois intérieurs, comme celle qu'on pouvait apercevoir dans le bas du tableau d'ardoise.

Alors que nous soulignions l'importance de l'indépendance des juges, un garçon de neuf ans, qui marchait tous les jours depuis son village situé à une heure de Phnom Penh jusqu'à l'école à côté de notre salle de réunion, recopiait chaque page du dictionnaire anglais-khmer/khmer-anglais dans son cahier, car son village n'avait pas de livres et encore moins de juge. Si nous faisions fi des gens amputés et des armes placées sur la table au restaurant, il était facile d'imaginer la « Perle de l'Asie » qu'était Phnom Penh avec ses somptueux temples et villas. Mais il suffisait d'aller visiter les temples de Siem Reap et de trébucher sur une tête de bouddha saccagée et abandonnée par un pilleur pour entendre le pas des persécutés marchant vers la mort sous le régime de Pol Pot.

L'image des crânes empilés par centaines, des enfants tenus par les pieds, frappés contre les troncs d'arbre, a été apprivoisée après ma visite à Siem Reap. Dans un des temples d'Angkor, une vieille dame en sarong m'a tirée par la main jusqu'à un coin inondé de lumière, où elle a donné des coups sur ma poitrine. L'écho des pierres millénaires s'est répandu dans ma cage thoracique et m'a redonné le souffle de vie. Grâce à l'empreinte de cette main osseuse sur ma peau, j'ai osé m'asseoir et offrir un ruban en satin rose tiré du fond de mon sac à la petite fille qui vendait aux touristes de l'eau et des œufs de fourmis.

Alors que le soleil descendait et que je ne savais plus comment abandonner cette jeune marchande à son lendemain sans avenir, un groupe de trois hommes est passé devant nous. L'un d'eux expliquait en français aux deux autres que la ville d'Angkor occupait un territoire plus grand que celui de leur Paris d'aujourd'hui et qu'il ne fallait pas confondre les *devatas*, qui détenaient le rôle de gardiennes, avec les *apsaras*, danseuses capables de séduire autant les hommes que les dieux. Je me suis alors demandé si l'inspecteur communiste qui avait qualifié les deux précieuses sculptures d'apsaras de mon père de « corruption culturelle » connaissait cette différence. Peut-être qu'il les lui avait confisquées parce qu'il en était déjà épris, comme je l'étais soudain du troisième homme du groupe, qui a passé un long moment à suivre du bout des doigts sur les murs la courbe des mains souples et provocatrices, ouvertes vers l'extérieur des apsaras.

J’ai repris l’avion le lendemain pour Montréal avec une image claire et indélébile de la nuque de cet étranger et de la rondeur de son épaule. Je ne pensais jamais qu’un jour je m’endormirais exactement dans le creux de ce cou.

Boulevard René-Lévesque

À mon retour, un collègue avocat m'a convoquée dans son bureau pour me parler d'un projet d'aide à long terme sur les politiques de réforme au Vietnam. Puisqu'il était connu comme étant l'un des hommes les plus brillants du pays, je l'ai suivi sans condition, sans savoir que les Vietnamiens-Américains qui osaient voyager au Vietnam voyaient parfois leur maison vandalisée, ni que les Vietnamiens-Canadiens manifestaient devant le parlement contre la reprise des relations diplomatiques entre les deux pays. J'ai pris l'avion pour Hanoi dans l'ignorance complète du caractère hautement sensible et purement politique du projet.

Avant de trouver un bureau permanent, nous avions établi notre quartier général dans le petit hôtel où était logée notre équipe. Le jour, nos chambres devenaient nos bureaux, et le restaurant, notre salle de conférences. Nous mangions ensemble au petit-déjeuner, au déjeuner et au dîner. Nous fermions nos portes tard le soir, en même temps.

Pour ma part, je continuais la nuit mes recherches dans les dictionnaires anglais-français / français-anglais / anglais-vietnamien / vietnamien-anglais / français-vietnamien / vietnamien-français, en plus des dictionnaires unilingues puisque le mot « logiciel » n'existait pas dans les années 1970 au Vietnam, pas plus que « environnement » ou

« ANASE ». La langue vietnamienne que je connaissais était marquée par l'exil et figée dans une ancienne réalité, celle d'avant la présence des Soviétiques et des liens étroits avec Cuba, la Bulgarie, la Tchécoslovaquie, la Roumanie… Plus de trente mille Vietnamiens vivent à Varsovie, en Pologne, et à Berlin, le quartier vietnamien dépasse de loin la taille du quartier chinois à Montréal. L'histoire du Vietnam et des Vietnamiens se vit, s'amplifie, se complexifie sans être écrite ni racontée.

J'ai tenté de rattraper quelques bribes des vingt ans passés par le Vietnam derrière le rideau de fer en traînant autour des tables-restaurants. Devant mon hôtel, il y en avait plusieurs. L'une offrait des baguettes au pâté de foie, l'autre, des vermicelles sautés, et plusieurs, des soupes tonkinoises. Je finissais mes journées avec cette soupe qui ne ressemblait en rien à celle cuisinée à Montréal, Los Angeles, Paris, Sydney ou Saigon. La version hanoïenne se vendait avec quelques tranches de bœuf saignant alors que j'avais toujours mangé ce plat avec une dizaine d'ingrédients, dont les tendons, l'estomac, le jarret, du basilic thaï, des fèves germées... Les gens du sud du Vietnam aiment se moquer de l'esprit économe et moins excessif de ceux du Nord en utilisant la description de la « douzaine ». Au nord, la douzaine représente dix unités ; au centre-nord, douze ; au centre-sud, quatorze ; et dans le Mékong, seize et parfois dix-huit.

Au début, je trouvais très fade la soupe tonkinoise de la cuisinière-restauratrice installée sur le trottoir devant mon hôtel. Avec le temps, j'ai appris à apprécier la sobriété qui me permettait de goûter la feuille de lime kaffir dans la version au poulet et le gingembre grillé dans celle au bœuf. Évidemment, il fallait que je supplie la dame de ne pas assaisonner mon bol avec une cuillerée de glutamate monosodique, un ingrédient précieux pendant la guerre.

Dans les années les plus difficiles, ce sel n'était pas utilisé seulement comme exhausteur de goût. Il était le goût même, le seul ingrédient ajouté au riz blanc. Par habitude, ma cuisinière-restauratrice a continué à employer ce produit pour arrondir les saveurs même si sa soupe contenait maintenant un vrai poulet et même si la viande n'était plus rationnée. Cependant, certains de ses vieux réflexes l'aidaient à suivre le rythme des descentes de police. Celle-ci avait pour mandat de chasser temporairement les gens qui occupaient illégalement les voies publiques, mais seulement sur un côté de trottoir à la fois. Cela permettait à ma cuisinière et à son mari de demander à leurs quatre ou cinq clients de se lever avec leur bol avant de transporter la table de l'autre côté de la rue. Le contrôle ne durait que quelques minutes, et il était annoncé assez tôt par les voisins pour que les vendeurs puissent changer tout simplement de trottoir. Une fois, j'ai terminé ma soupe sous un arbre en observant avec émerveillement cette chorégraphie parfaitement synchronisée.

Trúc Bạch • Bambou blanc

Durant les premiers mois de mon affectation à Hanoi, j'étais fascinée autant par la capacité d'un jeune enfant de s'asseoir sur le porte-bagages de la bicyclette de son père sans mettre les pieds dans les rayons que par le sommeil des chauffeurs sur le banc de leur moto-taxi. Et plus encore par les six déclinaisons du mot « adorer » en vietnamien : adorer à la folie, adorer au point de figer comme un arbre, adorer avec ivresse, adorer jusqu'à en perdre connaissance, jusqu'à la fatigue, jusqu'à l'abandon de soi.

Je voulais tout voir, tout apprendre, jusqu'à ce que nous ayons une adresse permanente dans le quartier de Trúc Bạch.

Notre bureau et mon appartement étaient situés sur cette presqu'île qui avait la réputation de produire les meilleures cloches et statues en bronze. Nous avions choisi cet endroit en raison de la discrétion des lieux et aussi de ses habitants, qui avaient hérité de l'austérité de l'ancienne prison créée par un noble du XVIIIe siècle pour enfermer ses concubines soupçonnées d'être des criminelles. J'étais heureuse d'être à l'écart pour ne pas devoir refuser pour la dixième fois dans une même matinée le billet de loterie vendu par des mutilés de guerre ; pour ne pas entendre les conversations entre expatriés sur l'inconfort du talc utilisé par les masseuses pour un *hand job* ; pour ne pas m'indigner au passage des voitures indécemment luxueuses des nouveaux millionnaires à côté des cireurs de souliers de cinq ou six ans. J'évitais surtout le plus joli café de Hanoi, au bord du lac de l'Épée restituée, parce qu'un commentaire désobligeant d'un client étranger envers un serveur qui ne faisait pas la différence entre un macchiato et un cappuccino me blessait personnellement. Chaque fois, je mourais un peu de ma lâcheté à ne pas défendre ces jeunes garçons qui dormaient probablement dans le kiosque après la fermeture et, surtout, qui n'avaient pas eu la chance de goûter à un seul de ces cafés. À l'inverse, je me sentais responsable des prix excessivement gonflés pour les visiteurs et, parfois, de l'impolitesse que les Vietnamiens se permettaient en pensant qu'ils étaient protégés par la barrière de la langue.

Je me soustrayais à ce malaise et à ces sentiments confus en me concentrant sur mon travail. Il était nettement plus facile d'analyser une société d'État sur papier que de rencontrer les employés qui habitaient avec leur famille dans l'enceinte des bureaux. De la même manière, l'organisation d'un séminaire sur le concept de protection du citoyen et la fonction d'ombudsman semblait moins inutile quand je ne voyais pas les enveloppes glissées entre deux dossiers des hauts fonctionnaires pour « soutenir les études de leurs enfants ».

France • Pháp

Mon patron de soixante-huit ans était le plus jeune des hommes de mon entourage à Hanoi. Il veillait sur moi comme un père en me poussant à accepter les invitations aux différentes soirées. Souvent, ma charge de travail me permettait de décliner, à l'exception de la fête du 14 juillet à l'ambassade de France, où il m'était important de soutenir la francophonie. En bonne et due forme, j'ai salué quelques personnes, qui m'ont répondu de façon courtoise sans me retenir. Ainsi, il était facile de m'éclipser derrière la sculpture des deux cigognes en bronze dans le fond du jardin pour échapper à la conversation sur la bonne qui avait repassé une jupe plissée griffée, « une pièce de collection d'Issey Miyake » ; ou sur le sauvetage d'une table en acajou au centre serti de nacre abandonnée au soleil et à la pluie ; ou sur la liste des premières sociétés d'État sélectionnées pour l'arrivée prochaine de la Bourse au Vietnam.

Vincent m'a approchée en me demandant si je connaissais la différence entre les cigognes et les grues. « Les cigognes claquent leurs becs mais ne chantent pas, contrairement aux grues, qui peuvent crier très fort pendant l'amour. »

Nous avons quitté le jardin de l'ambassade quand les serveurs ont commencé à plier les chaises. Vincent m'a ramenée sur son vieux vélo chinois, et je me suis assise sur le cadre, devant lui. Il a emprunté la route qui longeait l'ancienne maison du gouverneur d'Indochine, où les fleurs de lait parfumaient tout le quartier. Le lendemain, il est venu me chercher pour le petit-déjeuner chez l'élégante Mme Simone Đài, qui servait des crêpes au sucre et jus de lime, du yaourt maison et des croissants que les serveurs appelaient « cornes de buffle ». À midi, il m'a fait découvrir les arachides rôties à la sauce de poisson que les « locaux » mangeaient avec du riz. Le soir, j'ai pédalé à côté de lui jusqu'à Hồ Tây, où les jeunes amoureux partageaient des escargots cuits dans des herbes médicinales. En moins de vingt-quatre heures, Hanoi se révélait beaucoup plus grande que les quinze rues et les six adresses que je fréquentais au quotidien.

En quelques jours, Vincent m'avait offert le monde en m'expliquant la particularité du corps des moustiques anophèles femelles qui transmettent le paludisme, la découverte récente d'une nouvelle espèce d'oiseau en plein cœur de Phnom Penh, l'existence de l'os baculum dans l'organe génital mâle de pratiquement tous les primates à l'exception de l'homme… Je ne savais pas que le métier d'écologiste-ornithologue existait, ni qu'il était possible de repérer des oiseaux non répertoriés sur le territoire vietnamien. Il avait réussi à convaincre le gouvernement d'établir des zones protégées après plusieurs années de travail assidu et patient à se mêler aux habitants, à apprendre les langues des minorités ethniques, à connaître intimement les forêts, dont certaines commençaient à retrouver leurs couleurs après les bombes orange, après les incendies, après les pleurs des enfants.

Champā • Chàm

Une mère vietnamienne exilée avait longtemps sillonné les forêts norvégiennes pour survivre à l'absence de son fils égaré dans une autre forêt, au Vietnam, pendant leur course pour fuir les tirs, les bombes, le cataclysme. Dès qu'elle avait pu retourner à la forêt originelle, elle avait poursuivi sa recherche et, grâce à la tache de naissance recouvrant son oreille gauche, elle avait reconnu son fils, devenu marchand de poules. Une famille cham avait recueilli l'enfant sur le corps inanimé de son père, l'avait détaché de la bande de tissu qui avait permis à l'homme de le porter. Le bébé avait certainement pleuré à la chute de son père. Mais comment la mère qui courait avec sa grande fille à travers la fumée aurait-elle pu distinguer les pleurs de son fils au milieu de tous les autres ? Peut-être aussi que le bébé ne s'était réveillé qu'après le chaos, comme le père de Jacinthe, qui s'endormait devant la télévision et se réveillait lorsque sa femme l'éteignait. Vincent savait seulement que le bébé devenu père à son tour lui avait demandé d'expliquer à sa mère biologique qu'il préférait rester auprès de sa femme et de ses trois enfants sur les terres de ses parents adoptifs, même s'il courait le risque d'être maltraité en tant qu'« indigène ».

Le sang des montagnards coulait dans ses artères. Il devait sa loyauté à la culture cham et était déterminé à défendre cette langue en voie de disparition. Vincent se dévouait à ce peuple autant qu'à la population des grues à tête rouge et à celle des garrulaxes de Yersin, parce qu'il protégeait les plus vulnérables et en avait fait sa profession. Quand il m'a montré la réaction des feuilles du mimosa pudique qui se refermaient au moindre frôlement pour se protéger des prédateurs, il m'a convaincue que je me trompais de me croire aussi invisible et commune que l'herbe qui poussait dans les fentes du ciment sans attirer l'attention de quiconque sauf des jeunes filles timides. Il m'a comparée aux rares fleurs udumbara, dont les bouddhistes disaient qu'elles n'apparaissaient qu'une fois tous les trois mille ans, alors qu'elles se cachaient en fait par centaines sous la peau de leurs fruits. Parfois, elles s'en échappaient pour s'épanouir sur une feuille, sur un grillage, ou dans mon corps tout entier après notre premier baiser.

Lac de l'Ouest • Hồ Tây

Alors que j'habitais dans un espace aussi vide que l'écho qui y circulait en réponse aux rares bruits, chez Vincent, chaque objet parlait et racontait son histoire. Ils provenaient de différents lieux, de différentes époques, de différentes cultures, mais fusionnaient, se tissaient ensemble comme un nid. Le long coussin déposé sur un banc en bois au dos finement sculpté était rembourré avec du kapok ramassé, travaillé et vendu par une famille indonésienne chez qui il avait séjourné ; la théière cachée dans une noix de coco dont on avait taillé l'intérieur en suivant la courbe du pot en céramique pour conserver la chaleur de l'eau appartenait au moine qui avait habité dans cette « hutte » avant lui ; la planche à découper provenait du tronc d'un arbre centenaire tombé au combat et que Vincent avait aidé à déplacer. Dans le jardin, il avait accroché en forme de croix deux énormes tiges de bambou et suspendu une douzaine de cages ayant emprisonné les oiseaux rares qu'il avait achetés auprès de collectionneurs avant de les renvoyer dans leur habitat naturel.

Le soir, une femme qu'il appelait sa « mère vietnamienne » allumait des bougies à l'intérieur des cages pour éclairer le jardin, avant de retourner chez elle. Je voyais dans ses yeux ridés que je n'étais pas la première femme à s'émerveiller devant les caramboles, à être ensorcelée par le parfum des fleurs blanches à cœur jaune des frangipaniers, et à s'éprendre de la couleur écorce de riz des boucles sauvages couvrant la nuque de Vincent. Il faisait chauffer de l'eau dans deux énormes bouilloires pour remplir un réservoir en ciment servant à recueillir l'eau de pluie qu'il avait transformé en baignoire. C'est dans ce bain constamment réchauffé avec l'eau des bouilloires qu'il m'a demandé de l'accompagner à Londres pour une soirée de collecte de fonds où il mettrait aux enchères le nom de sa prochaine découverte. D'expérience, il savait que les gens sont prêts à débourser des dizaines de milliers de dollars, voire des centaines, pour immortaliser leur passage sur terre.

Londres

À la galerie des murmures de la cathédrale Saint-Paul, la voix de Vincent a parcouru les trente-quatre mètres de mur qui nous séparaient en prononçant les deux mots les plus galvaudés mais qui ne m'avaient jamais été adressés. Avant que j'aie pu répondre, il avait déjà pris ma main pour courir jusqu'à la British Library, où il m'a montré la *Magna Carta*, le manuscrit d'*Alice au pays des merveilles* et le premier livre imprimé. Il était aussi à l'aise en t-shirt qu'en smoking avec boutons de manchettes pour présenter devant une salle comble ses oiseaux et leur histoire. Il faisait voyager son public en racontant la vie des forêts, comme si chaque arbre avait une personnalité propre, et chaque animal, un destin, et qu'ensemble ils vivaient en complices, en ennemis, en amoureux… Il a terminé sa projection avec la photo d'une fleur géante, de deux fois sa taille, qui ne fleurissait qu'une fois tous les dix ans pendant seulement soixante-douze heures. Il a provoqué des éclats de rires et des applaudissements en concluant que les hommes, étant ce qu'ils sont, l'avaient appelée le « phallus de Titan ».

Il devait me tenir par la taille pour ne pas me perdre dans la foule des femmes qui voyaient en lui la réincarnation de Tarzan avec son visage de jeune premier, ses yeux vert jade et ses épaules protectrices. D'une occasion à l'autre, il me présentait avec les mêmes mots qu'employait

Jacinthe : « *Please meet my beautiful Vi* » ; « Je vous présente ma belle Vi » ; « *Darf ich Ihnen meine wundervolle Freundin Vi vorstellen ?* »…

Cornouailles • Cornwall

Pendant notre voyage en voiture vers les côtes des Cornouailles pour dormir au mythique hôtel Headland à Newquay, je lui ai demandé pourquoi. Pourquoi moi ? J'ai appris alors qu'il m'avait vue tresser les cheveux de la petite fille qui vendait des œufs de fourmis trois ans auparavant au Cambodge. Il avait cru me retrouver ce soir-là au restaurant du Grand Hôtel d'Angkor, où presque tous les étrangers convergeaient, mais m'y avait cherchée en vain. Comme d'habitude, par peur, par gêne, par ignorance, je m'étais contentée de manger seule dans ma chambre d'hôtel avec un livre.

La vie nous a donné une deuxième chance beaucoup plus tard à Hanoi. Vincent m'avait aperçue dans l'entrebâillement de la porte de la salle où avait lieu la première rencontre entre mon patron et le ministre de l'Environnement, qu'il venait de quitter. Il pouvait deviner que j'étais installée depuis peu dans la capitale puisque, contrairement au bleu poudre ou au bleu azur de la soie vietnamienne, le bleu roi de ma robe révélait l'éclat de la couleur du drapeau français. De même, le rose de mes joues trahissait ma démarche rapide, à l'occidentale, et mon ignorance de la lenteur d'un pays en mutation. Il aurait aimé me contacter immédiatement après avoir obtenu les coordonnées de mon bureau auprès de l'adjointe du ministre de l'Environnement, qui lui était dévouée. Malheureusement, il devait partir explorer une grotte récemment découverte avec d'autres collègues pendant une période prolongée. Il a interprété ce troisième hasard de notre rencontre à l'ambassade comme une confirmation.

En forêt, au milieu des dizaines d'animaux de toutes sortes qui apparaissaient et disparaissaient autour de lui, la couleur d'une plume, la longueur d'un bec, la forme d'un nid accrochaient son œil et lui révélaient les particularités d'une espèce. Quant à ce qui l'avait captivé chez moi, c'était ma capacité de plier les jambes, de courber le dos et de contracter les épaules pour adopter la fragilité de la jeune marchande qui préparait ses portions d'œufs de fourmis à l'aide de petites feuilles vertes.

Fleuve Rouge • Sông Hồng

À notre retour de Grande-Bretagne, Vincent a continué ses séjours en forêt. Ses absences me faisaient douter de l'existence réelle des soirées passées à ses côtés : à sursauter devant la chute du rat funambule dans le wok de la marchande de vermicelles sautés au crabe ; à regarder une libellule se poser sur le pilon de son mortier alors qu'il écrasait le mélange d'épices ; à m'endormir sous la moustiquaire aux quatre coins tirés par des ficelles de différentes couleurs. Si je n'avais pas reçu chaque matin de la main d'un jeune messager en route vers son école une photo d'un oiseau et sa description, accompagnées d'une photo d'une partie de moi, j'aurais pensé avoir rêvé ma vie ou avoir créé un personnage mythique pour me donner une vie de rêve.

Vincent me rappelait de ne pas m'asseoir en amazone sur les motos-taxis dont le chauffeur semblait ivre ; de ne pas acheter la viande de la marchande qui chassait les mouches en vaporisant ses lanières de porc avec du Raid ; de ne pas laisser allumées les spirales antimoustiques pendant mon sommeil ; de ne pas échanger les dollars en dong aux coins des rues ; de ne pas manger la même soupe tonkinoise tous les soirs... Par contre, il avait oublié de m'avertir que le fleuve Rouge sortait de son lit durant la saison des moussons. L'eau montait en quelques heures, forçant les gens vivant sur la rive à sauver leurs réfrigérateurs sur de petites barques en aluminium fabriquées par des artisans du quartier voisin. Ils plongeaient dans l'eau pour débrancher la télévision ou soulever un meuble. Sans la digue de terre entourant Hanoi, la ville serait submergée depuis longtemps. Cette digue avait survécu aux différentes guerres, mais je me demandais si elle supporterait longtemps encore les nouvelles constructions sur son dos. Pour cette raison, les autorités ont un jour coupé les maisons qui dépassaient la ligne de la digue, laissant un paysage surréaliste de salons ouverts, de cuisines fendues, de chambres amputées avec leurs résidents qui continuaient à y vivre comme sur la scène d'une pièce de théâtre.

J'habitais à quelques rues de la digue. J'étais certaine que les poutres de bois bloquant ses ouvertures céderaient à la pression de l'eau ou du chaos. Du haut de mon balcon au sixième étage, j'ai dressé une liste des dizaines de façons de mourir, et l'électrocution arrivait facilement en tête puisque des centaines de fils électriques entremêlés étaient suspendus de manière désordonnée et précaire partout dans les rues. La foudre m'effrayait parce que je devais vider l'eau du balcon.

Cette nuit-là, j'aurais aimé avoir un dieu à qui j'aurais pu confier Vincent. Je désirais aussi appeler ma mère pour m'excuser de l'avoir déçue sans cesse. À ma dernière visite, elle tremblait chaque fois que je prononçais les mots vietnamiens nouvellement appris dans le Nord, avec l'accent du Nord. Ses amis regrettaient qu'elle ait élevé une fille qui était retournée servir le communisme, que je sois devenue une princesse rouge, une traître à la mémoire des soldats du Sud. Si je devais être frappée par l'éclair, je voulais qu'elle sache que j'avais rencontré des mères qui n'avaient pas choisi d'envoyer leurs fils au front, qui n'avaient pas choisi d'allégeance politique, qui avaient seulement espéré que leurs enfants leur survivraient, tout comme elle. Mais je ne l'ai pas appelée. Car je l'aurais inquiétée avec ma peur au milieu du déluge.

Vincent a écourté son expédition quand il a eu vent de ces pluies torrentielles. Il m'a obligée à venir chez lui puisque mon matelas était encore humide à cause des fuites du plafond. Les tuiles centenaires de sa maisonnette semblaient évacuer l'eau avec plus d'efficacité que les constructions récentes, calquées sur les modèles architecturaux soviétiques. Je me suis réfugiée dans ses bras, posant la tête dans son cou comme si la tempête grondait encore derrière les persiennes. Chaque fois que j'ai ouvert les yeux cette nuit-là, le regard de Vincent a accueilli le mien comme s'il n'avait pas dormi, comme si j'étais un de ses oiseaux qu'il observait avec patience et bienveillance. « Raconte-moi le déluge, mon ange. »

Creux de la clavicule

J'ai raconté à Vincent comment j'avais transporté le petit réfrigérateur du bureau du rez-de-chaussée au premier étage, comment j'avais tiré le matelas devant le balcon pour bloquer l'eau qui entrait par la fente sous la porte, comment je m'étais résignée en répétant le mantra en sanskrit que ma grand-mère bouddhiste m'avait appris.

J'ai aussi raconté comment M. Luân, un haut fonctionnaire important, avait apposé sa marque en me léchant l'oreille à la fin de notre réunion dans mon bureau. Si je n'avais pas entendu la voix de Hà dans ma tête, je me serais figée tel un faon devant des phares au lieu d'avoir le réflexe de marcher vers la porte et de sortir. Hà me disait souvent que ce n'était pas les boutons attachés à mon cou et à mes poignets qui me protégeaient, mais plutôt la force que je devais déployer pour m'en dégager.

En chuchotant ces paroles de Hà dans le creux de la clavicule de Vincent, j'ai réalisé que ma mère m'avait surtout appris à devenir le plus invisible possible, ou du moins à me transformer en ombre afin que personne ne puisse m'attaquer, afin de traverser les murs et de me fondre dans mon environnement. Elle me répétait que, dans l'art de la guerre, la première leçon consistait à maîtriser sa disparition, qui était à la fois la meilleure attaque et la meilleure défense. Jusqu'à ce que je voie la lumière briller comme des billes de cristal dans les perles de sueur de Vincent, j'avais toujours cru que ma mère préférait ses garçons par habitude, par amour pour mon père. L'écho de ma voix dans l'enceinte des bras de Vincent m'a finalement amenée à comprendre le désir de ma mère de me faire grandir autrement, de me lancer ailleurs, de me donner un destin différent du sien. Il m'a fallu deux continents et un océan pour saisir qu'elle avait dû forcer sa nature en acceptant de confier l'éducation de sa propre fille à Hà, une autre femme, loin d'elle, à l'opposé d'elle.

Birmanie • Myanmar • Myan Ma • Pays merveilleux

Je n'avais pas du tout la curiosité de visiter la Birmanie avant que Vincent m'attende à l'aéroport de Rangoon pour le week-end de la fête de l'Eau du Nouvel An bouddhiste. Il travaillait dans ce pays depuis quelque temps déjà pour convaincre le gouvernement du statut purement scientifique de son organisme, qui avait comme unique objectif de protéger l'environnement des territoires à risque. Son organisation fonctionnait comme les oiseaux, qui ignoraient les frontières et migraient d'une région à une autre sans se soucier du régime politique en place. En Birmanie, la junte militaire imposait aux citoyens une obéissance absolue à un ordre précis, sauf dans le cas des voitures, puisqu'il était permis d'avoir le volant à gauche ou à droite. Le chef au pouvoir suivait de très près les conseils des astrologues, qui recommandaient de changer le sens de la circulation dans les rues au nom de la sécurité du pays, même si les autobus publics ouvraient leurs portes du côté opposé. Le bien collectif devait primer sur le bien individuel pour que règnent la paix et l'ordre.

Heureusement, Bagan semblait être préservée des sautes d'humeur des dirigeants. Peut-être que ses trois mille temples la protégeaient de la ligne du temps et des inquiétudes des gens assis inconfortablement sur les sommets pointus des pyramides. Vincent m'a enveloppée dans le cocon de cette ville où tout semblait bouger au rythme des chariots tirés par des mulets rêveurs. Pour fêter le début de l'année birmane, la tradition veut que l'on nettoie les gens de leurs péchés de l'année précédente en les arrosant d'eau parfumée. À Bagan, on se sert des paumes des mains au lieu des pompes et des fusils à jets puissants, comme à Bangkok ou à Rangoon. Nous avons acheté des sarongs au marché et aussi un bout de tronc d'arbre à râper, dont la poudre jaune protégeait la peau du soleil brûlant. Les hommes se barbouillent le visage alors que les femmes dessinent des ronds bien ronds sur leurs joues par simple coquetterie. Vincent a dessiné des dizaines de formes différentes sur moi. J'ai à mon tour appliqué cette poudre sur ses bras, ses jambes, son dos, en écrivant avec mon doigt mille mots d'amour. Il a pris de nous des centaines de photos pour nos futurs enfants.

Cairanne

La lenteur de Bagan a appelé celle de Cairanne, en France, où la famille de Vincent possédait une résidence secondaire entourée de vignobles. Vincent voulait planifier une visite dans nos familles respectives à Québec et à Cairanne, coup sur coup durant le congé des fêtes à la fin de l'année. J'avais seulement informé Hà que j'avais trouvé mon « Louis », que j'étais devenue la femme qu'elle avait toujours rêvé que je sois, que je voyais maintenant la vie du haut de ses plateformes vertigineuses. Je glissais sur les ailes des oiseaux de Vincent. Lui-même avait fait pousser mes propres ailes à force de m'appeler « mon ange » et de me faire voler en avion, en parachute, en montgolfière.

Je ne craignais plus que ma mère cesse de parler français pour montrer qu'elle désapprouvait Vincent. Je voulais seulement partager avec elle ce désir soudain de vivre que j'éprouvais pour la première fois, mais les circonstances ne m'ont pas donné cette chance. Elle a été victime d'un malaise cardiaque qui l'a immobilisée dans un lit d'hôpital, une semaine avant la date prévue de mon séjour au Québec. Je suis restée auprès d'elle chez mon frère Long pendant sa convalescence, ce qui a empêché la venue de Vincent et mon voyage à Cairanne.

Hoa avait accouché un an auparavant du premier bébé de notre famille. Ma mère aurait aimé que son petit-fils porte le nom complet de son unique et éternel amour,

Lê Văn An. Mon frère n'avait gardé que le « Lê » ; il avait jugé que notre père avait perdu ce privilège le jour où il avait laissé sa femme et ses enfants se battre seuls. Long aurait aimé que son père voie le succès de son entreprise de restauration et les nombreux prix remportés pour son audace et son leadership. Et qu'il regrette d'avoir été absent. L'ascension rapide de Long avait effrayé ma mère, qui s'était souvenue d'un commentaire de son propre père quand elle était devenue la plus grande productrice d'orchidées de Đà Lạt : « Le succès annonce souvent un malheur. » Elle se blâmait encore d'avoir travaillé trop fort et, surtout, d'avoir aimé trop fort. Si elle avait refusé les incartades de son mari, si elle l'avait laissé venir vers elle au lieu d'aller constamment au-devant de ses désirs, si elle avait pleuré en face de lui et non pas en cachette, peut-être qu'il aurait eu la chance de jouer son rôle de chef de famille. Elle avait cherché à se rattraper en encourageant les capacités de Hoa à offrir à Long un havre de calme et de douceur absolue après ses journées bruyantes. Par contre, elle insistait pour garder le bébé afin que Hoa aille régulièrement chez le coiffeur, fasse de l'exercice tous les jours et suive Long dans ses soirées mondaines. Habitant dans une des deux parties de la maison bigénérationnelle conçue par Long, elle pouvait facilement se retirer ou intervenir selon les besoins. Elle observait le retour à la maison de son fils. S'il arrivait trop tard trop souvent, elle lui préparait ses plats préférés. Elle l'appelait au travail sans insister, sans mentionner qu'une famille l'attendait, sans lui rappeler de résister au désir. Elle livrait tout simplement les plats à Hoa et espérait entendre un rire ou deux à travers les murs.

Princeton

Quant à Lộc, ma mère le voyait rarement. Il était resté travailler à Princeton après son postdoctorat en oncologie. Elle ne pouvait s'empêcher de constater avec tristesse que sa femme américaine le nourrissait surtout de plats surgelés. Lộc cuisinait mieux et beaucoup plus souvent que Sheryl. Ma mère comprenait que leur plaisir résidait dans les discussions sur les molécules ou sur tel ou tel article à rédiger en collaboration. Selon elle, leur partenariat conjugal amplifiait leurs rapports professionnels, et vice versa. Mais elle gardait ses commentaires pour elle, par respect et, surtout, par incompréhension. Elle se contentait de remplir le coffre de la voiture de Lộc de plats préparés, conservés dans des glacières. Par amour, Lộc transportait le tout et mentait à la frontière quand le douanier le questionnait : *I have no food.*

Sheryl s'est révélée être une bru souhaitée en comparaison de la femme taïwanaise de Linh. Mei était si jolie que les restaurants chinois montréalais la plaçaient toujours à l'accueil comme hôtesse. Linh était tombé amoureux d'elle à leur première rencontre et avait déménagé à Montréal dès qu'il avait pu. Ils semblaient vivre le parfait amour, même si Mei finissait de travailler au petit matin, longtemps après la fermeture des restaurants. Linh ne s'en plaignait jamais parce que, la nuit, en attendant son retour, il travaillait sur ses contrats de consultant en plus de son emploi de jour.

À leur mariage, j'avais entendu les invitées chuchoter le dicton vietnamien : « Une belle épouse appartient aux autres. » Dans le cas de Linh, sa femme a été engloutie par le jeu. Elle a remplacé Linh par le casino. En seulement quelques années, elle a brûlé sa fraîcheur, son innocence et la maison qu'ils possédaient. Malgré ses emplois extrêmement bien rémunérés, Linh a été obligé d'abandonner la partie. Ma mère ne s'était jamais autorisée à pleurer sa rupture avec mon père, mais elle s'est abandonnée à la tristesse de Linh. Ou peut-être que la douleur de Linh a touché la limite de sa force de combattante. Quand j'ai vu les muscles de son visage s'affaisser à la suite de cet événement, l'image qui m'est venue à l'esprit a été celle d'une expression anglaise, *the straw that broke the camel's back.* Depuis, je cherche la traduction équivalente en français. On me répond souvent que c'est « la goutte qui fait déborder le vase ». Or cette expression n'illustre pas l'effondrement de ma mère, qui s'est retirée et repliée sur elle-même comme si elle avait été cassée. Heureusement, son petit-fils est né pour lui donner une raison de se relever.

Ma mère m'a laissée retourner à Hanoi en me promettant sans y croire qu'elle viendrait me rendre visite dès que Long aurait conclu l'acquisition d'une nouvelle franchise. Hoa m'a amenée à l'aéroport et rassurée en m'annonçant la venue de leur deuxième enfant: « Cette nouvelle la remettra sur pied. Ne t'inquiète pas. »

Comme d'habitude, j'ai repris l'avion avec une valise remplie de livres. À l'époque, seules les photocopies des photocopies de *L'Amant*, de Marguerite Duras, de *The Quiet American* et des guides Lonely Planet étaient vendues dans la rue par de jeunes analphabètes en haillons. Parfois, les deux ou trois librairies de Hanoi offraient des exemplaires de livres universitaires laissés par les expatriés. Étant donné que j'étais dépassée par tous les aspects du projet pour lequel je travaillais, je tentais de lire ce qui était disponible afin de m'asseoir sans trop trembler dans les réunions avec les directeurs généraux des sociétés d'État, les agriculteurs, le comité des affaires sociales de l'Assemblée nationale… Ces lectures me permettaient également de ne pas compter les jours d'absence de Vincent minute par minute.

Au retour des fêtes, Vincent a atterri à Hanoi deux jours après moi. Je nous ai préparé une fondue vietnamienne le soir même avec un bouillon clair dans lequel nous avons fait cuire des tranches de poulet, de bœuf, de porc, ainsi que des crevettes et des palourdes. La partie favorite de Vincent était le panier de verdure qui accompagnait les viandes. Sa « mère vietnamienne » m'avait aidée à trouver les rhizomes de nénuphar, les jeunes pousses de bambou, les liserons d'eau, les fleurs de bananier, les fleurs de courge, les ocras, les champignons de paille… et une sorte de mimosa pudique dont le goût et la texture lui plaisaient tout particulièrement. Ce plat était plus goûteux s'il était dégusté en groupe puisque le bouillon s'enrichissait lorsqu'une grande quantité d'ingrédients y cuisaient. Alors, même si j'aurais préféré garder Vincent juste pour moi, je l'ai partagé avec nos amis présents à Hanoi. L'amitié éphémère, mais intense, entre expatriés formait une famille sans pareille. Puisque le cinéma, le théâtre et toute autre activité culturelle n'existaient pas en langues étrangères, nous devenions notre propre divertissement.

Le dimanche, nous passions trois à quatre heures au brunch gargantuesque de l'hôtel Sofitel, qui offrait une oasis de nourriture introuvable sur le marché local : rosette de Lyon, jambonneau, blanquette de veau, brioches, gravlax, crèmes brûlées, huîtres, cassoulet, coq au vin, baba au rhum, foie gras poêlé, langoustines, Paris-Brest, tarte Tatin, plateau aux mille fromages… Les autres jours de la semaine, nous allions chez les uns ou chez les autres pour profiter ensemble de nos trouvailles. Drew, un Australien qui partageait son temps entre l'Inde et le Vietnam, nous faisait découvrir les épices de la cuisine indienne ; Antoine, Libanais et fin gourmet, savait griller les poissons à la perfection ; Marianne, Brésilienne de Rio, nous préparait plus de cocktails que de nourriture ; Philipp, un Allemand, se montrait toujours ponctuel même dans un pays où le temps était un concept élastique ; Nicholas, notre grand ours polaire, mettait de l'amour dans tout… Autour de la table, nous atteignions souvent le nombre de pays membres du Conseil de sécurité des Nations unies, occupant des professions diverses et possédant des centaines d'histoires à raconter.

Le soir de la fondue, Vincent a gentiment chassé nos amis plus tôt que d'habitude parce qu'il voulait que nous ouvrions nos cadeaux de Noël dans l'intimité. Depuis plusieurs mois, il faisait pousser des bruyères d'hiver dans les montagnes parce qu'il m'avait entendue commenter longuement le bosquet de bruyères sur une photo de leur demeure au lieu de m'émerveiller de leur maison ancestrale à Orléans, en arrière-plan. Après plusieurs tentatives, il a réussi à remplir une jardinière qui ornait parfaitement le rebord de la fenêtre.

Mon deuxième cadeau était un sac de cerises à la chair blanche, un fruit hors saison mais aussi délicieux que les rouges à l'automne. Pendant mon enfance au Vietnam, nous dessinions tous de la même manière ces deux ou trois cerises, retenues par les pédoncules, alors qu'aucun d'entre nous n'en avait vu et encore moins n'y avait goûté. Il existait bien une sorte de fruit qui portait le même nom, *sơ ri*, mais il ne possédait pas du tout les mêmes attributs. L'un était gros, l'autre petit ; l'un sucré, l'autre acide. La différence la plus remarquable se situait dans les noyaux. La *sơ ri* vietnamienne renfermait trois noyaux mous alors que l'autre n'en possédait qu'un seul, dur. La cerise de Vincent m'a permis de garder la moitié contenant le noyau lorsque nous l'avons croquée en même temps. Mais aussitôt il a mis son index sur mes lèvres en embrassant ma tempe. J'ai été étonnée qu'il s'en soit aperçu, car je ne crois pas que mon père ait jamais su que ma mère enlevait les pépins de ses bananes et de ses tranches de concombre avant de les lui servir. De même, Tân croyait certainement que son portefeuille attirait ses clés à l'aide d'un aimant invisible, tout comme ses vestons se replaçaient automatiquement sur leurs cintres. Malgré le café qui coulait pendant qu'il prenait sa douche et les souliers bien cirés qui l'attendaient sur le pas de la porte, il était aveuglé par le gris du ciel, le cri du réveille-matin d'une voisine, l'augmentation du taux d'imposition ou des taxes.

J'aurais pu couper dix centimètres de mes cheveux que Tân n'en aurait jamais fait la remarque, alors que la moindre trace de brûlure attirait immédiatement le regard et les soins de Vincent. Il s'était fait tatouer « vi » au-dessus de la hanche droite, au niveau de la ceinture, une marque qui avait annoncé mon troisième cadeau : une bague ornée d'un saphir carré avec des poussières de diamant autour. Elle avait appartenu à sa grand-mère, qui l'avait enlevée directement de son petit doigt le lendemain du réveillon. Vincent lui avait montré des photos de moi. Parmi tous ses bijoux, elle avait choisi de léguer à son petit-fils préféré cette première bague offerte jadis par son mari joaillier.

Le saphir de Vincent m'a touchée et ébranlée ; j'avais perdu mes quatre grands-parents et je n'avais pas cherché à revoir mon père depuis mon retour au Vietnam. Mon histoire avait été amputée, réinventée. Aucun objet chez ma mère ou chez moi ne portait la trace des générations, contrairement à l'autel des ancêtres qui était témoin de tous les mariages, des anniversaires des morts, de la cérémonie du premier jour de l'an depuis au moins cent ans. Est-ce que ce meuble était devenu le point focal d'une autre famille depuis qu'il nous avait été enlevé ? Les âmes de mes ancêtres avaient-elles suivi le meuble ou étaient-elles restées auprès de mon père ? Ou bien s'étaient-elles enfuies avec nous afin de nous mener à bon port ? La bague de saphir que je portais au doigt me rattachait à l'amour de Vincent, mais surtout elle m'insérait dans la longue histoire de sa grande famille même si celle-ci m'était encore inconnue, et le demeure.

Singapour

J'étais responsable d'une mission à Singapour avec un groupe de conseillers vietnamiens quand Vincent a reçu de mauvaises nouvelles concernant sa grand-mère après une chute banale. Il a pris le premier avion pour rejoindre toute sa famille autour de la femme qui lui avait appris à jouer ses premières notes au piano, à réciter son premier poème, à attacher son premier nœud papillon. Dans sa mémoire olfactive, aucun parfum n'était plus doux et plus réconfortant que celui de la confiture de melons mûrs gorgés de miel qu'elle servait tiède sur le brillat-savarin fondant au soleil de l'après-midi. La photo des bouquets de lavande suspendus à la poutre au-dessus de sa cuisine me permettait d'imaginer le jeune Vincent transportant un panier en osier, suivant sa grand-mère dans les champs. Il adorait cette femme qui lui avait transmis ses racines françaises malgré une vie de fils de diplomate changeant de pays et d'amis au rythme des élections et vivant dans des coquilles empruntées, comme un bernard-l'hermite.

Nous n'avions aucun moyen de communiquer pendant ma mission à Singapour en raison des six fuseaux horaires qui nous séparaient et de mon programme surchargé. À mon retour, Vincent m'a appelée avec une voix étouffée par la tristesse et la fatigue. Il était plus optimiste lors du second coup de téléphone, car sa grand-mère avait recommencé à manger quelques bouchées de compote de pommes. Le danger était derrière elle, ce qui lui permettait d'envisager de revenir à Hanoi. Et puis, plus rien. Plus aucune nouvelle, à l'exception d'un mot reçu deux semaines après son dernier appel: « Mon ange, tu me manques. »

La « mère vietnamienne » de Vincent était également dans le noir, sans nouvelles de lui. Mais elle était habituée à ses absences et à ses retours imprécis. Elle continuait à s'occuper de la maison, ramassant les feuilles jaunes et les pétales fanés, époussetant les persiennes et son vélo, remplaçant les fruits dans le panier au cas où il reviendrait pendant la nuit. Je lui ai demandé de ne pas changer les draps ni laver les vêtements de Vincent avec lesquels je m'endormais. Elle me consolait avec des veloutés de riz et des tisanes au gingembre. Personne n'avait d'informations, même pas ses collaborateurs. Le siège social de son organisme à Londres n'avait pas d'autres coordonnées que celles du Vietnam puisqu'il y résidait depuis sept ans déjà.

Xóm Chùa • Village des pagodes

J'ai emménagé dans la maisonnette de Vincent. Sa « mère vietnamienne » et moi faisons notre possible pour ne rien bouger, ne rien déplacer. J'ai préservé chacun de ses cheveux trouvés dans la poussière, dans les nattes, dans les mailles du hamac. Ses sandales et ses babouches sont enveloppées dans des papiers de soie afin que l'empreinte de ses pieds reste intacte. J'ai racheté les mêmes chandelles, le même détergent, le même shampooing. Ainsi, quand j'arrive dans la maison, je plonge dans la même odeur ambiante. Par contre, je n'ai pas gardé le même cercle d'amis parce qu'il devenait difficile d'éviter les discussions sur les hypothèses de sa disparition. De toute manière, les gens changent fréquemment de villes, de pays, au gré des affectations.

Mes deux constances, Hà et Jacinthe, sont venues me rendre visite à tour de rôle. Jacinthe m'a apporté des photos de ma mère et de ses petits-enfants. Hà m'a remis une des boucles d'oreille en diamant que ma mère avait reçues à son mariage. Elle avait avalé les deux pour passer les fouilles anticapitalistes à Saigon et n'a pu en retrouver qu'une trois jours plus tard. Pendant la fuite en bateau, elle l'avait cachée dans l'ourlet de la taille de son pantalon. Une fois arrivée au Québec, elle a préféré travailler sans compter les heures pour subvenir à nos besoins plutôt que de vendre ce diamant qui symbolisait son titre d'épouse : Mme Lê Văn An.

J'ai supplié Hà et Jacinthe de ne pas l'informer de l'existence et de la disparition de Vincent. Elle serait détruite d'apprendre que sa fille vivait le même destin, la même histoire, le même abandon qu'elle.

Ước Lễ

Je suis allée voir Aline, une amie de longue date de Vincent qui tenait depuis une dizaine d'années un orphelinat à Ước Lễ, à une vingtaine de kilomètres de Hanoi. Cette Suissesse était une jeune voyageuse lorsqu'elle avait un soir entendu un enfant gémir dans la ruelle derrière son petit hôtel, dans le quartier des routards. Elle avait répondu à ces pleurs, qui l'avaient ensorcelée et attachée au Vietnam depuis. Aline m'a révélé que l'orphelinat recevait et continuait à recevoir une contribution importante et automatique de Vincent chaque mois. L'argent était déposé directement sur le compte sans aucune formalité. Elle m'a aussi rappelé que Vincent était souvent parti sans date de retour. Il ne fallait donc pas s'inquiéter.

Je me suis réfugiée à l'orphelinat pendant tout mon temps libre, car il y avait toujours un mur à peindre, un repas à préparer, un bandage à changer, un enfant à consoler, un fauteuil roulant à pousser, un dos à caresser, un seau à porter, une berceuse à chanter. Un soir, alors que nous lavions la vaisselle ensemble, Hạnh, une bénévole de l'orphelinat, a reconnu mon nom de famille. Hạnh connaissait mon père. Elle l'adorait et sa description me semblait très éloignée du portrait que m'en avaient fait mes frères, ma mère et tous ceux qui l'avaient côtoyé. À notre deuxième conversation, Hạnh m'a avoué qu'elle m'avait reconnue parce que des photos de mes frères et de moi tapissaient les murs de la chambre de mon père. Certaines avaient été envoyées par Hà, et d'autres par ma mère. Hạnh a baissé les yeux pour cacher ses larmes quand elle m'a raconté que mon père avait fait plusieurs tentatives de fuite, neuf exactement. Par orgueil, il voulait partir par lui-même, ne pouvant accepter le parrainage de ma mère, et encore moins celui de mon frère Long. L'épreuve du parcours lui était nécessaire. Il avait d'abord vendu tout ce qu'il possédait pour payer les premiers voyages. Par la suite, il avait enseigné l'anglais, servi dans des restaurants et traduit sous un pseudonyme un livre offert discrètement par un client australien. Contre toute attente, *Les oiseaux se cachent pour mourir* était devenu un grand succès de librairie, ce qui lui avait permis d'essayer de s'enfuir de nouveau. Malheureusement, il avait manqué la vague des *boat people.* Même les réfugiés déjà arrivés et installés dans les camps étaient renvoyés au Vietnam.

Mon père considérait que la vie était juste de récompenser ma mère avec notre présence et de le punir avec notre absence. « Il sait que tu travailles au Vietnam », a conclu Hạnh. Elle a eu la délicatesse de ne plus jamais me parler de mon père. Peut-être avait-elle compris que j'avais besoin de silence pour entendre sa voix de nouveau et de temps pour refaire le chemin jusqu'à lui.

Hồ Hoàn Kiếm • Lac de l'épée restituée

Les saisons se bousculent pour nous revenir avec les mêmes airs, sauf en ce premier jour de printemps où Aline, Hạnh et moi pouvons prendre un thé sans manteau au café près du lac de l'Épée restituée. Nous célébrons l'admission d'un de ses enfants orphelins dans un lycée du quartier. Il y a beaucoup de clients, le double de d'habitude. Les sourires faciles et les rires spontanés des gens en promenade donnent aux longues lianes des saules pleureurs un air festif. Mais, dans tous ces visages autour de nous, je réalise que plus aucun ne connaît Vincent. Le Hanoi de Vincent n'est plus.

J'hésite à annoncer à Aline et à Hạnh la fin de mon mandat à Hanoi. J'hésite à suivre mon désir de me retirer à Nowhere, en Oklahoma. J'hésite à m'enfuir du Vietnam une seconde fois. J'hésite à demander à Hạnh l'adresse de mon père. J'hésite à délaisser les draps décolorés de Vincent, à me départir de son hamac déchiré, à jeter ses stylos dont l'encre a séché, à décrocher sa moustiquaire reprisée tous les dix centimètres.

J'hésite à me quitter, à abandonner la Vi de Vincent.

J'hésite parce que je projetais de partir sans rien dire, sans rien prendre, sauf le grand foulard bleu de Vincent.

Pendant que j'hésite, Hạnh décide pour moi: « Ton père est à Hanoi… à l'orphelinat. Il habitera avec nous durant le prochain mois. »

« Nous prendrons soin de lui jusqu'à sa guérison », ajoute Aline.

Devant moi, la foule se rue vers l'autre extrémité du lac. La carapace de la tortue centenaire vient de réapparaître, apportant de bonnes nouvelles, selon les croyances.